Kotoba no Fūkei,
Tetsugaku no Renzu

Nayuta Miki

KODANSHA

言葉の風景、哲学のレンズ

三木那由他

講談社

はじめに

「哲学を研究しています」と話すと、「哲学って何のために勉強するの？」、「哲学をやって何になるの？」といったことを頻繁に訊かれます。たまたま知り合ったひとから訊かれることもあるし、授業を受けている学生のコメントで訊かれることもあります。最近はだいたい、「哲学を学ぶと、物事を理解するための視点のレパートリーが増えるんです」といった答えを返しています。疑問への答えや悩みの解消法をばしっと与えてくれるわけではないかもしれない。でも、学ぶ前とは違う角度から、違う解像度で、違う色合いで物事を見ることはできるようになるのではないかと思っています。

前著『言葉の展望台』で私は、哲学をレンズに喩えていました。それがあればちょっとだけ違う風景が見えるかもしれない、と。いまでも同じように考えています。さまざまな哲学の概念や理論はそれぞれが一個のレンズで、このレンズを使って見た風景と、別のレンズを使って見た風景と、その両方を通した風景はすべて違っているかもしれないし、そのどれかが正しいわけではないかもしれない。でもいろいろなレンズを通してみることで、裸眼で見たのとは違う風景の可能性に気づき、新しい仕方で物事を理解したり語ったりしていくきっかけになるかもしれない。そんなふうに思います。ひょっとしたらそれは、私といまこの文章を読んでくださっているあなたの、レンズを外した「裸眼」の風景の違いに気づくきっかけにもなるかもしれません。

私はただただ私に思いつくいろいろなレンズを用意して、それを通して見える風景を書き連ねています。それは見慣れない風景かもしれないし、逆にとてもよく知っている風景かもしれません。そうした風景を見物していってもらうのもいいと思います。でも、気が向いたらぜひいくつかレンズを持ち帰って、自分自身でもそれを使って試しに周りを眺めてみてもらえたら、このうえなく嬉しく思います。

目次

言葉の風景、哲学のレンズ

装幀　川名　潤
装画・扉イラスト　タケウマ

痛みを伝える

しばらく体調を崩していた。年が明けて少ししてからのことである。発熱はないのだが、頭が痛くなったり、なんとなく布団から起き出せなかったりして、横になっているような日を何度か繰り返した。

原因に心当たりはあった。ここ二年程のあいだにいきなりいろんな仕事の依頼が来るようになって、こちらもそのような事態の経験がないものだから勝手がわからないまま、あれもこれもと引き受けてしまった結果、年末年始を、連載のための原稿も用意しつつ、本を出す用意もしつつ、別の本の原稿も書きつつ、授業の採点や準備もしつつ過ごすことになってしまったのである。しかも年が明けてからは入試に関する大学業務やらレポートのチェックやらも降りかかってきて、ただただ単純に体力や気力が足りなくなってしまった。要するにオーバーワークだったのだろう。「来年度からはこんなことにはしまい」と胸のうちで固く誓った。

それにしても、体調を崩して寝込むと何か懐かしいような気持ちになる。いまはずいぶんと元気になったが、私はもともと体が弱く、幼稚園のころからしょっちゅう頭やらお腹やらが痛くなって寝込んでいた。そんなときには母がリンゴをすりおろして食べさせてくれて、少し元気になったら起き上がって『となりのトトロ』や『トムとジェリー』を見ていたのを覚えている。体は大きくなったし、体力も子どものころに比べればついたと思うし、性別移行をしたりもしていろいろと変わったが、布団のなかで横たわっていると「ああ、私はあのころの自分と同一の自分なんだな」と感じたりする。

さて、体調を崩しているときに哲学者が考えることといったら何か？　それは何といっても懐疑論の問題だろう。いや、ほかの哲学者に「体調を崩しているとき、どんな哲学的問題に取り組みますか？」などと訊いたことはないので、そうでもないかもしれないが……。ともあれ、私は布団にくるまりながら懐疑論に想いを馳せていたのだった。

懐疑論というのは人間の持つ知識が確実性を持たないことを主張する立場で、「このくらい明白な知識ならさすがに確実だろう」と思われるような種類の知識を俎上に載せて、それが実際には確実でないと論じるのをその基本的なスタイルとする。

例えば「きのうもこの世界は存在していた」というのは、このうえなく確実に正しい知識に思える。でも、「なんできのうもこの世界は存在していたと思うの？」と訊かれたらどう答えるだろう？　「だって、きのうのことを覚えているから」と言ったところで、「あなたはその記憶ごと今朝いきなり生まれたのかもしれない」などと返されそうだ。「きのう以前の日付の新聞や手紙があるよ」と言っても、「それも今朝まとめてそんなふうに生まれた可能性は否定できないよね？」と来る。こういうふうに続けているうちに、実は「きのうもこの世界は存在していた」というのが絶対に正しいと言うだけの根拠はないのだと感じられていく。懐疑論はだいたいこんなふうにして進み、懐疑論に取り組む哲学者の多くは、「それでも何か確実な知識があるはずだ」と知識に関する考察をおこなったり、「懐疑論の議論にはどこか変なところがあるはずだ」と懐疑論の批判的な検討を試みたりする。デカルトの有名な「われ思う、ゆえにわれあり」も、懐疑論が成り立たない絶対確実な知識として提唱されたものだ。

いま見た懐疑論はどこか空想的でちょっとしたSF物語のように見えるかもしれないが、もう少し身近な懐疑論として、他者の心の懐疑論というのがある（前著『言葉の展望台』でも軽く触れている）。自分が心を持っていて、いろいろなことを考えたり感じたりしているということを自分でははっきりと疑いの余地なくわかっている、と多くのひとは思っているはずだ。だが、自分以外のひとが心を持っていて、思考したり感情を抱いたりしていると、私たちは確実に知っていると言えるだろうか？　「実はきのうこの世界は存在しなかったのかもしれない」と悩む機会はそれほど多くなさそうだが、「本当にほかののひとにも心はあるのだろうか？　ひょっとして私だけがこの世界で唯一の心を持つ存在なのでは？」と悩んだ覚えがあるひとはそれなりにいるのではないか。他者の心の懐疑論は、そうした悩みと繋がる懐疑論だ。

　私が布団に横たわりながら思い浮かべたのも、他者の心の懐疑論だった。なぜかと言うと、他者の心の懐疑論を語るときに頻繁に持ち出される例が他者の痛みだからだ。

　誰かが「痛い」と言っているとする。でも、そのひとが本当に痛みを感じていると私たちは確実に知ることができるだろうか？　単にそう言っているだけなら嘘である可能性もあるから、『痛い』と言っている以上は痛いに違いない」とは言えない。では、脂汗をにじませながらお腹を押さえ、呻くように「痛い」と言っていたらどうか？　その場合でも、その脂汗も仕草も、すべては非常に上手な演技である可能性があるから、そうした事柄に基づいて「このひとは本当に痛いんだ」と確実に知ることはできない。ではほかに何か他者の痛みに関する根拠となるようなものはあるだろうか？　検査によって怪我を見つけたとしても、そのひとはひょっとしたら特殊な訓練によって怪我から痛みを感じないようになっていて、それにもかかわらず痛いふりをしているだけかもしれない。結局、他者の痛みについて確実に知る手段などないのではないか。懐疑論者はそのように言う。

ベッドに横たわってスマホを手に持ち、方々に「すみません、ちょっと体調を崩しておりまして……」などとメールを送っていると、ついつい「果たして私が本当に体調不良で苦しんでいると、相手はわかってくれるだろうか？」などと考えてしまう。ひょっとしたらもっといかにも苦しそうな文面にしたほうが伝わりやすい？　でも、あまりやりすぎると逆に嘘っぽくなってしまう？　そんなふうに試行錯誤していて、ふと思ったのだ。懐疑論者の前で痛みを訴えているそのひとは、とても辛かろうな、と。

そのひとが本当に痛みを持っているかどうかは、確かに懐疑論者の言う通りわからない。けれどそのひとはいま脂汗をにじませたり呻いたりしながら、「痛い」と言っているのだ。それなのに目の前にいる哲学者は「果たしてこのひとが本当に痛みを経験していると言うだけの根拠はあるのか？」と考え続けるばかりで、何をしてくれるわけでもない。私がその痛みを訴えているひとだったなら、こう思うだろう。「疑ってくれても構わないから、とりあえず手当てをしてください」と。

想像してみてほしい。例えば学校の授業中にお腹が痛くなり、担任に「痛い」と訴えたとしよう。不幸なことに、この担任は哲学者だった。哲学者である担任は、「果たしてこの生徒が痛みを持っているというのは確実だろうか？」と考え始める。あなたはうまく伝わらなかったのかと、あえて苦し気に「痛いんです」と言い直す。担任は「これはひょっとしたらよくできた演技かもしれないから、やっぱりこの生徒が痛みを持っていると確実にはわからない」とよりいっそう深く悩み始める。めちゃくちゃ冷たく感じないだろうか？　こんなひとが担任では、あまり安心して学校に通えなそうに思える。

こうしたあたりに、私は哲学者の感覚と日常的な感覚のズレを感じる。哲学者というのはよほど知識が好きなのか、「痛い」という訴えにも知識の問題を見出してしまうようだ。「これに関連する確実な知識を私は得ることができるのか？」という方向にすぐに進んでしまう。濱口竜介の映画『親密さ』（二〇一二年）の第二部で、交際相手が自分を情報として見ているように感じたと語る女性が登場するが、哲学者の感覚はそれをどこか思い起こさせる。「痛い」と語るそのひとや、そのひとが置かれている具体的な状況を離れ、「痛い」という言葉やそれに伴う動作からいかにして、そしてどの程度まで正しい情報を獲得できるかと頭を悩ませているように思えるのだ。だが『親密さ』の女性が言うように、私たちは情報ではない。具体的な人間なのだ。

具体的な人間である私たちが日常において「痛い」と訴えるとき、私たちはそれによって自分が痛みを覚えていると相手に確実に知ってもらうことを求めているわけではなさそうに思える。むしろ、「通常の仕方で授業を受け続けることはできない」だとか、「約束通りに事を進めることができない」だとか、「仕事のスケジュールの変更が必要だ」だとか、

「いまの作業を止めて手当てをしてほしい」だとか、とにかく私とあなたがこれまでやってきたことを続けるのに支障が生じているから、何かしら軌道修正をしたいということを伝えているのではないか。その際、相手がこちらの痛みについて確実な知識を得られるかどうかなどということは究極的には問題でなく、ただ私とあなたとのあいだでの物事の進めかたの変更だけが問題となる。別に確信など持ってくれなくていいのだ。ただ、スケジュールの変更の可否について考えてみたり、不可能だったら不可能だったで、無理の生じないように少し物事の進めかたを変えてみたりしてほしいのである。「痛い」という言葉が日常のコミュニケーションにおいて用いられるとき、私たちはこれをそのようなことを求めるための言葉として用いているのではないだろうか？　そこにはそもそも確実な知識への憧れなどなく、それゆえに他者の心の懐疑論だってなかったはずなのだ。私たちはただ、誰かが「痛い」と言い出したのをきっかけにして、ともにやっていくやりかたを再考しているだけなのだから。

スタンリー・カヴェル（Stanley Cavell）という哲学者は、他者の心の懐疑論に関して同様のズレをかぎ取っている。カヴェルが一九六九年に出した論文集『言った通りを意味しなければならないか』（*Must We Mean What We Say?: A Book of Essays*, Cambridge University Press）に、「知ることと認めること」（“Knowing and Acknowledging”）という論文が収められている。カヴェルがその論文で注目するのは、「君が痛みを感じていると私は知っている」のような言い回しだ。これは哲学の議論ではふつう知識の表明と見なされ、「果たしてその知識は確実なのか？　その知識に根拠はあるのか？」と問われることになるが、カヴェルはそれに疑問を呈する。日常の会話においてそのような発言がなされたとき、話し手は確実な知識を表明しているわけではなく、むしろ痛みを訴えるひとへの共感を表明しているのではないか、と言うのだ。「いまどれだけ辛いか、ちゃんとわかっているよ」と。痛みを訴えるひとを前にしたとき、単に「このひとは痛みを抱えているのだ」と確実に知ることは重要でも必要でもない。むしろ相手が痛みを抱えていることを認め、それにきちんと反応して何かをするということが重要なのではないか。カヴェルはそのように論じる。

知識の問題と、目の前のひととの関係における倫理の問題とをきちんと区別し、後者も意識するということには、単に哲学における新たな視点の可能性を示唆するだけでなく、現実のこの社会における意義もあるかもしれない。「ＶＯＧＵＥ　ＪＡＰＡＮ」の二〇二〇年五月二二日のオンライン記事「『正しいと思うことを言い続けたら、それが定説になるのです』――女性外来のパイオニア、天野惠子。【世界を変えた現役シニアイノベーター】」では、従来の男性中心の医療の現場では女性患者が多く訴える痛みが顧みられず、それにより女性たちの医療へのアクセスが制限されていたことが語られている。これに対し天野は「はっきりとした症状がなくてもQOL（Quality Of Life：生活の質）が阻害されていると本人が感じれば、医師の診察を受けることができる」という方針を述べている。本当に相手が痛みを持っているかどうかを確かめることに焦点が当てられると、それが確かめられなかった痛みは「なかった」ことにされてしまう。だが確実な知識を絶対視せず、ともかく相手が痛みを訴えていて、それにきちんと対応しなければならないという観点からは、確かめられない痛みを訴える相手にも向き合わなければならない。

たぶん私も含め多くのひとにとって、確実でない何かを当てにして行動を起こすことは、不安を誘うのだろう。だから、確実な知識を求めたくなってしまう。けれども、現に痛みを訴えているひとのほうは、それを聞く側が確実な知識を得るまで待っている余裕など、ないことも多い。いま、痛いのだ。いま、助けがほしいのだ。知識よりも倫理を重視するならば、不確実性に由来する不安を引き受けつつも、ともかくまずは目の前のひとに向き合い、何かをしなくてはならない。ひょっとしたら自分の行動があまりうまくいかないかもしれないという可能性を引き受けつつ。

以前、こんなことがあった。私も含む性的マイノリティをターゲットにしたような差別を問題視しそれに反対するような宣言がネット上で出された。私の知っている哲学者の何人かはすぐさまそれに賛同の意思を示した。だが何人かは「これが本当に善であると言えるか確信がない」と述べ、意見を保留にした。後者には何度か一緒に食事をしたようなひともいた。確信がないことには黙っておくというのは、ある意味で知的には誠実なのだろうと思う。でも、私が今後何か苦境に立たされたとき、そのひとたちを頼ることはないだろうとも思った。そのひとたちは、いま私が置かれている状況よりも、自分の知識を重視したのだ、と私には見えた。

私も以前は、哲学者とはそういう存在なのだ、むしろ誰よりもそのように知を重視することにこそ意義があるのだ、と考えていたことがある。けれどいまはそれを疑っている。それはただ、確実な根拠なしに動き出すことを恐れているだけなのではないか、その不安ゆえに目の前の相手に向き合うことを避けているだけではないのか。

自分が確実な知識を得るということを、目の前の相手そのひとよりも重視したりしないような哲学者になりたいと思う。そして、そういう哲学のありかたを語りたいと思う。……けれど、とりあえずは寝込んだりしないように、もっと体力をつけないといけませんね。

言葉だけの場所

冬に松岡宗嗣さんとのトークイベントがあったと思ったら、今度は映画のイベントに出演することになってしまった。京都みなみ会館という映画館で『片袖の魚＋東海林毅ショートフィルム選』という企画があり、三月二〇日の上映のあとで監督の東海林毅さんと話すことになったのだった。

たぶんただ映画を見に来たひとにとっては謎の人選だっただろう。何せ私は東海林さんの映画に関わったこともなければ、映画業界に関わったこともなく、大学教員ではあるもののこれといって映画の研究をしているわけでもない。そんな私がなぜその場にいたのか。種を明かすと、上映作品のひとつである『片袖の魚』が以前に大阪で上映された折に東海林さんと主演のイシヅカユウさんに間近で会えるというイベントがあり、それに私が嬉々として申し込んでおしゃべりをしたことがあって、その縁で呼んでいただいたのだった。映画自体には何ら関わっていないのに、なぜか『片袖の魚』のパンフレットやその原作が含まれている文月悠光さんの詩集『わたしたちの猫』に私がサインしたり、写真を求められて東海林さんと一緒に写ったり、不思議な一日となった。

さて、そのトークイベントで、東海林さんからこれまでどんなふうにゲームに接してきたのかということを訊かれる機会があった。東海林さんは、一時期オンラインゲームにはまっていて、その際に現実よりも自由に過ごせるゲームの世界に居心地の良さを感じていたらしい。私もそういう経験があるのか、という質問だった。

多くのトランスジェンダーにとって、自分自身の身体で過ごさざるをえず、そのせいでいやおうなしに周りから「こういう見た目のひとは男性」、「こういう見た目のひとは女性」と決めつけられ、その決めつけと折り合いをつけて生きなければならない現実の世界は、どうしても苦しく感じられがちだ。それもあってか、ゲームの世界で本当の自分の性別（に近いもの）で暮らし、現実にはない気楽さを経験したというエピソードは、トランスジェンダーのひとたちの体験談としてわりとよく耳にする。それは特に、まだ性別移行をしていない、けれどいま自分が周囲から認識されている性別のままで生きるのは難しいと感じているような状態のひとには、珍しくないことであるように見える。

とは言うものの、実は私自身はオンラインゲームにそれほど没頭したことはなかったりする。私が高校生のころ、『ラグナロクオンライン』というゲームがちょっと流行したことがあって、ふんわりと可愛らしい絵柄に惹かれ、キャラクターを作ってみたことはあった。ただ、その黒くて長い髪の女性キャラクターが、自分がトランスジェンダーだという自覚も女性だという自覚も不鮮明だった当時の私には、何となく自分の分身だと思えないところがあり、まだキーボード入力も覚束ない身には知らないひととチャットで会話するというのが怖かったのもあって、始めて一五分ほどでやめてしまい、それきりだ。どのようにキャラクターを作っても、どこか嘘をついているような感覚があった。

私はむしろ、自分の分身をゲーム内世界に作りだすようなタイプのゲームより、自分とは異なる誰かの物語を眺めるようなタイプのゲームが好きだった。ちゃんと主人公がいて、その主人公が自分自身の言葉で語り、自分自身の思考をするようなゲームだ。『ドラゴンクエスト』よりは『ファイナルファンタジー』のほうがよかったし、自分で主人公の外見を設定できるようなものは苦手だった。たぶん当時の私にとっては、「本当の自分」の姿もはっきりわからず、わからないのにそれをかたちにしなければならない状況が苦手だったのだろう。自分の分身を眺めるよりも、ただ空気のように他人の物語を見ていたかった。私は存在しない者になりたかったのだ。

存在しない者になって、自分のいない世界を見ていたい。でもその一方で、子どものころから文章を書くことは好きだった。とはいえ文章を書くとどうしても自分が表に出てくる。小説などにも挑戦したもののどうにもしっくり来ず、自分を消したい気持ちと言葉を書きたい気持ちとをうまく調和させられずにいた。

そんな私だったが、大学に入ったころに「自分を消したい」と「自分の言葉を書きたい」を両立させるものに思いがけず出会うことになる。ブログやSNSといったオンライン・プラットフォームだ。のめり込むようにして、ちょっとした出来事や、街で見かけた素敵なもののこと、最近考えていること、読んだばかりの本の感想など、毎日毎日何かを書いた。自分の姿や声を公開したりはしなかった。完全に言葉だけの世界だ。それが私には自由に感じられたのだと思う。私が本当に解き放たれた気持ちになれたのは、好きな姿で自由に行動できるオンラインゲームではなく、そもそも「姿」などというものを持つ必要さえない言葉の世界だった。

トークイベントではこういった話をしただけだったが、あとになってからふと思った。あのとき私はどういう存在として、文章を書いていたのだろう？　言葉だけの場所にいたあのときの私は、いったい何者だったのだろうか？

実は言語の研究においては、言葉だけの場所から具体的な世界へという、私の個人的体験とはちょうど逆向きの流れがあった。抽象的な世界からいまここにあるこの場所へと言語を引きずり出そう、というわけだ。ジョン・バーワイズ（Jon Barwise）とジョン・ペリー（John Perry）が『状況と態度』（産業図書、一九九二年）で展開した状況意味論という理論は、その流れに位置づけられる試みのひとつだ。

状況意味論が現れたころは、文の意味というものを、その文が真になる条件として捉える立場が主流だった。これをさらに数学的に扱いやすくする際には、例えば「可能世界」という概念を持ち込んで、「文の意味とは、その文が真になる可能世界の集合である」などと考えることになる。「三木那由他は関西在住だ」はこの現実世界では真だが、どこかにはこれが偽である可能世界もあって（私がたまたま東京の大学で働いている可能世界など）、この文が真であるか偽であるかは可能世界によって変わってくるとされる（現実世界も可能世界のひとつだ）。「三木那由他は関西在住だ」が真となる世界を全部集めてきてひとつの集合にまとめたなら、それが要するに「三木那由他は関西在住だ」という文が表す内容に相当する、というわけだ。

なんだか壮大な話だが、ともかくこの可能世界という概念を使うと、現実では揃って真になるふたつの文の意味の区別がつけられるようになる。「三木那由他は関西在住だ」も「三木那由他は紅茶好きだ」もともに真だが、両者の文としての意味は異なっている。その「意味は異なっている」に数学的に取り扱えるような表現を与えたなら、「これらふたつの文に対応する可能世界の集合を見比べてみると、その中身が違っていて、一方の集合には含まれるが他方には含まれないような可能世界があったりする」となるのである。

と、ごちゃごちゃした話をしたが、このように説明されるとどう思われるだろう？　とても抽象的で、言葉を使う個々の人間の置かれた状況などとはほとんど無関係な話がなされていると感じられないだろうか？　実際、そうだったのだ。この理論に関わってくるのは、ただただ可能世界だとか、真とか偽とかだけで、誰がどこでどんなふうに暮らし、どんな状況でその言葉を発したのかといったことは問題とならなかった。

けれどそれでは、例えば「私」や「君」のような代名詞の意味の扱いが厄介だったり、あるいは「私はこれこれと望む」や「私はこれこれと信じている」などといった、ひとの心を記述するような文の意味がうまく捉えられなかったりするのではないか。そもそも、言語というのは現実の具体的な状況のなかで使われるものなのであって、あんまり抽象的なものと捉えすぎたらその本当の姿を見失ってしまうのではないか。バーワイズとペリーはそんなふうに考えた。

状況意味論では、発話がなされるとき、話し手は具体的な状況のなかに埋め込まれているという点を重要視する。言葉の意味は、何か個々の人間を離れてどこか空の彼方に漂っているものではないし、個々の話し手を捨象して捉えられる可能世界の集合などといったものでもない。そうしたことよりも言葉の意味にとって本質的なのは、それが何かしら具体的な状況のなかで発話され、それによって何か別の状況についての情報を与えるという点なのだ。

例を挙げて考えてみよう。まず文の意味を可能世界の集合とする立場を取り上げる。この立場で「Aさんがパンを食べていて、かつBさんがコーヒーを飲んでいる」という文の意味はどう与えられるだろうか？　たくさんある可能世界を眺めて、まずAさんがパンを食べている可能世界を集めてくる。そのなかで、さらにBさんがコーヒーを飲んでいるものだけを取り出してまとめたなら、それがこの文の意味になる。

では、「Aさんがパンを食べていて、かつBさんはコーヒーを飲んでいるか飲んでいないかのいずれかだ」だとどうだろうか？　同じようにAさんがパンを食べている可能世界をまず集めてみよう。そのなかで「Bさんはコーヒーを飲んでいるか飲んでいないかのいずれかだ」が成り立つ可能世界を取り出すことになるのだが、実はその結果はAさんがパンを食べている可能世界の集合と何も変わらない。というのも、どんな可能世界を見てみても、Bさんがコーヒーを飲んでいるか、もしくはBさんがコーヒーを飲んでいないか、そのうちの少なくとも一方は必ず成り立つからだ。変な話だが、この立場だと「Aさんがパンを食べている」と「Aさんがパンを食べていて、かつBさんはコーヒーを飲んでいるか飲んでいないかのいずれかだ」というふたつの文は、まったく同じ意味を持つことになる。

状況意味論では、違う考え方をする。話し手はあくまで、具体的な状況のなかに置かれ、そのうえで何かを伝えようとしている。「Aさんがパンを食べている」と発話する話し手は、Aさんが存在し、おそらくは自分の目の前にいて、そしてパンを食べている状況のなかで、その状況について伝えようとして発話をしているだろう。これに対し、「Aさんがパンを食べていて、かつBさんはコーヒーを飲んでいるか飲んでいないかのいずれかだ」と発話する話し手は、Aさんだけでなく、同じく目の前にいるBさんについても何事かを伝えようとしているはずだ（とにかくBさんがいて、コーヒーを飲んでいるようにも見えるけど、違うことをしているようにも見える、というように）。このふたつの文は、どういう状況で何を伝えるために用いられるかがまるで異なっていて、だから違う意味を持っている。こんなふうに言われるとひどく当たり前の話に思えるかもしれないが、言語に関して抽象的に考えすぎると、この当たり前を見失ってしまいがちになる。状況意味論は、言語を改めて実際の具体的な発話の現場に結びつけようとしている理論なのである。

だが、もし言語というのが一般にそのように具体的な発話の現場に結びついているものなのだとしたら、ブログやSNSにのめり込んでいたころの私は何をしていたことになるのだろう？　私は確かに、何かを伝えようとしていた。「こんなことがあった」、「こんなものを見つけた」、という話をしようとしていた。けれどもその一方で、私は具体的な話し手としての自分を消してしまおうとしていたし、自分が存在しないように見える世界に居心地の良さを感じていたのだった。私はいったい、何をしていたのだろう？

ひょっとしたら、話は逆だったのかもしれない。日常の会話では、どうしても私という人間、私が誰に、何に向き合っているのか、つまり私が具体的に置かれた状況がまずあって、それに照らして私の発言は何かを伝えることになる。状況意味論が述べているように。でも、ブログやSNSの匿名性は、具体的な状況のほうを、いわば「空欄」にしてしまう。そして、空欄があちこちに残されたままの、だからはっきりとは何を伝えているのかわからないような言葉だけが、そこに生まれる。おそらくそれを読んだひとは、それが本当に何を伝えているのかはわからなかっただろう。でも、そうした穴ぼこだらけの言葉を見たひとは、想像力を働かせ、いろいろな仮説を作り上げて、「おそらくこういうことを伝えようとしているのだろう」、「もしそうならば、きっとこれを書いたひとはこういうひとで、こういう状況のなかでこの文を書いたのだ」などと逆算的に考えたのではないか。そしてそのように逆算された「私の存在」が、現実の私のあり方や状況とは乖離しがちであることに、私は居心地の良さを感じていたのかもしれない。

当時は性別移行前で、だから私は周囲のひとに男性だと思われていたし、そしてそのように思われるような外見をして、この世界にいた。けれどその当時から、「私抜きの私の言葉」は、男性によるものには見えなかったらしい。それは、どこの誰かわからない読者たちがたまにくれるコメントなどを見ていて、なんとなく理解できた。私自身はただ思いつくがままに言葉を書き連ねていただけなのに、そこには具体的な私が現れないで済んで、だから私の言葉は本来ならそれが伝えていたはずの具体的な状況を伝えず、何か空欄を残した曖昧なものとして、それを読むひとに届いた。そしてそうしたひとたちが空欄を想像によって埋めていったとき、その当時の具体的な私の姿とは異なる「私」がそこには現れて、たぶん、それは私にとってこの世界で実際に体と声を持って過ごしているこの私よりも、何かしら「本物」に思えた。そういうことだったのかもしれない。

これは、フィクションの執筆というのとも、また違っていたように思う。私は別に作り話をしていたわけではなかったのだ。ただ思った通り、経験した通りのことを語っていただけだった。けれどそこから私の具体的な状況が抜け落ちることで、仮に私が生身でそれを発していたなら持っていたような伝達内容が抜け落ち、その隙間に、その当時の生身の私とは違うもうひとりの私がいた。言語が本来なら具体的な状況に結びついているからこそ、それなのにその結びつきが弱められる場所があったからこそ生まれた、ドッペルゲンガーのような存在だ。

こういう言語実践を何と呼べばいいのだろう？　これもまた、あまり分析哲学で話題にならない現象に思える。でもある時期の私にとっては、言葉がこういう力を持つことがこのうえない救いだったのだ。

「どういたしまして!」の正体

マーベル映画にハマった。そう、スパイダーマンとか、アイアンマンとか、そういった派手なスーツとマスクを身につけたヒーローが出てきて、犯罪者やら怪物やら異星人やらと激しく戦う、あのマーベル映画だ。

きっかけは『スパイダーマン:ノー・ウェイ・ホーム』だった。どうも、年が明けて公開されたこの映画は、抜群に面白いらしい。しかも、過去のスパイダーマンシリーズを見ているひとにはたまらない内容だそうだ。記憶はおぼろげだけれど、私は二〇〇〇年代の『スパイダーマン』三部作も見ていたし、『アメイジング・スパイダーマン』も一作目、二作目ともに見ていた。見ていないのは今作に直接続く『スパイダーマン:ホームカミング』と『スパイダーマン:ファー・フロム・ホーム』だけだ(ややこしいけれど、スパイダーマンの実写映画は、最初に三作公開されたあと、出演者もスタッフも替えて一度仕切り直しがなされ、そちらもいったん取りやめになったあと、現在のシリーズが改めてつくられている）。じゃあ、『ホームカミング』と『ファー・フロム・ホーム』さえ見れば、こんなにいろんなひとが楽しんでいるスパイダーマン最新作を、私も楽しめるではないか！

あとから思うと、そのときに私はとんでもない罠に嵌まってしまっていた。実はいまスパイダーマンやらアイアンマンやらが活躍している映画は、「マーベル・シネマティック・ユニバース（ＭＣＵ）」という壮大な世界観を共有した一連のシリーズとなっている。どういうことかというと、スパイダーマンの映画にアイアンマンが出てきて、過去のアイアンマンシリーズの話をし出したり、スパイダーマンもスパイダーマンでぜんぜん違うヒーローの映画にぽんと出ていたりして、困ったことにそういった一連の映画すべての話が繋がっているのだ。

その数と言ったら、この原稿を書いている二〇二二年三月時点で、映画だけで二七作、それに加えてさらにドラマシリーズが四作にアニメシリーズ一作！　この全部が互いにリンクしながらひとつの世界を描いているらしく、ファンはそのすべてを見ているのがほとんど当たり前になっているようだ。スパイダーマンの活躍を見るだけでも、厳密には『ホームカミング』だけでなく、その前に『シビル・ウォー／キャプテン・アメリカ』を見て、『ホームカミング』後には『アベンジャーズ／インフィニティ・ウォー』と『アベンジャーズ／エンドゲーム』を見ないことには、物語の背景がわからないらしい。

仕方がないのでまずはスパイダーマンに関するものだけ押さえてから『ノー・ウェイ・ホーム』を見ることにした。けなげで可愛いスパイダーマンを応援するつもりでいたら、応援どころではない試練にスパイダーマンが直面してしまって、動揺しつつ映画館をあとにした。しばらくして動揺がおさまると、今度はこれと繋がっているというほかの作品が気になり始め、そんなこんなで結局、電車移動中なども利用し、あっという間に映画とドラマもすべて見尽くしたのだった。すでに文学博士もいただいている身であるが、それに加えてもはやMCU博士になったと言っても過言ではない。

ところでそんなふうに一気に見たせいか、変なところでどうにも気になることがあった。なんだかやたらといろんな作品で繰り返されるやり取りがあるのだ。私の視聴ペースで言うと、二日に一回くらい目にしていた気がする（ちょっと言い過ぎか?）。反目しあっている二人がいて、その一方がピンチになる。そこにもう一方がさっそうと現れて助け出し、ピンチになっていた側が何か言いたげな顔をしたところで、その前に言う。「どういたしまして！（You're welcome!）」

具体的にどの作品でどう出てきたのかはっきり覚えてはいないのだが、やけによく見たというのは覚えている。そして、この台詞が妙に気になってしまった。気になった理由は日本語字幕にもあって、日本語ではあまりこういうタイミングで「どういたしまして」とは言わないからか、たいてい「礼はいい」やそれに類する言葉になっていた。「どういたしまして！」の可愛さというか明るさに対して、「礼はいい」系の言葉はやけに落ち着いてクールに見えて、そのギャップがなんとなく頭に残ったのだった。

いったい、この「どういたしまして」はどういう機能を果たしている発言なのだろう？もちろん、それは明らかに皮肉の一種だ。いかにも素直に礼を言うなどしなそうな相手に、先んじて「どういたしまして」と言うことで、「どうせ礼を言う気はないだろうけれど、礼を言うに値することをしてあげたんだよ」と遠回しに伝えている面は確かにある。英語話者たちがどんなふうにこの手の「どういたしまして」を使っているのか見てみたくてネット掲示板などを眺めていたら、「ドアを開けておいてあげた相手が礼を言わなかったときに『どういたしまして！』と言ってやりたいんだけど感じ悪いかな？」という相談に「そもそも頼まれたわけでもなく勝手にやっていることなのに、それはさすがに印象が悪いからやめたほうがいいよ」というアドバイスがなされていたりする。相当に嫌な言い回しらしい。

けれど、私が見たような映画に出てくるそのやり取りは、そうした単なる嫌味ともまた違うニュアンスを帯びているように思えた。「どういたしまして！」のやり取りをする二人は、そのときは反目しあっているものの、たいていそのあとで信頼しあう仲間に、場合によっては最高の相棒になったりするのだ。「どういたしまして！」はただの当てこすりというより、そうした絆の布石のようにも見えた。そしてそれが、「礼はいい」とは違う、「どういたしまして！」に私が感じた可愛さや明るさの理由だったのだろう。それはいったいなんなのだろうか？　なぜ「どういたしまして」という言葉がそのようなものをもたらすのだろう？

前著『言葉の展望台』の「張り紙の駆け引き、そしてマンスプレイニング」の章で、なぜトイレなどにある「きれいにご利用いただきありがとうございます」がある種の行動を促す機能を持つのかという話をした。この張り紙によって、それを提示したひとは感謝という言語行為をおこなっている。この言語行為を適切におこなうためには、本来、それを受ける相手がそのひとの利益となるような行為をすでにしているのでなければならない。けれど、この張り紙ではあえてそうした行為がなされる前に感謝を先んじておこなうことによって、この感謝が適切なものとなるように文脈を調整しないといけないというモチベーションを、それを見たひとに引き起こす。そしてそれが、感謝されるに値する行為（つまりトイレをきれいに使うこと）をもたらすのではないか。言語行為論やらデイヴィッド・ルイス（David Lewis）の言語哲学やらを利用して、おおよそこういった議論をした。「どういたしまして！」も、どこかトイレの張り紙に似た現象であるように思える。感謝されるべき行為の前に感謝をするというのと同じように、「どういたしまして！」と言うひとはそれが向けられるべき感謝がなされる前にこの発言をしているのである。だとすると、張り紙の例と同じように、「どういたしまして！」と言われた相手は、「どういたしまして！」が適切になるように文脈を調整するモチベーションを得ることになると言えそうだ。

でも、ここでちょっと困ってしまう。「きれいにご利用いただきありがとうございます」での感謝という言語行為を適切にするためには、要するにきれいに利用するという行為をすればいい。これはわかりやすいのだが、「どういたしまして！」の場合がよくわからないのだ。

具体的な場面の詳細を忘れてしまったので、架空の状況を想像してみよう。スパイダーマンが、自分をいつまでも若造扱いするアイアンマンとちょっとした仲たがいをしている（『ホームカミング』では実際にそういう物語が展開される）。そんななか、アイアンマンが敵に不意打ちされたのを、スパイダーマンが軽快な身のこなしで助け出し、アイアンマンに「どういたしまして！」と言う。この場合、アイアンマンは、何をすればこの「どういたしまして！」を適切なものとするような仕方で文脈を調整できるのだろう？

一般に「どういたしまして」が適切になるのは、すでに感謝がなされた場合だ。ということは、あとからでも感謝の言葉を述べればいいのだろうか？　それもひとつのやり方かもしれないが、そもそもそれが期待できない状況だからこそ、感謝に先んじて「どういたしまして！」と言っているのだ。アイアンマンとしては、何か別の方法で、感謝を伝えたのと同じ結果をもたらそうとすることによって、文脈を調整する方向へと進むのではないか。しかし、それはいったい何だろう？

問題は、そもそも感謝というのがいかなる言語行為なのかがよくわからないということだ。もう何度もお世話になっているケント・バック（Kent Bach）とロバート・M・ハーニッシュ（Robert M. Harnish）の『言語コミュニケーションと言語行為』（*Linguistic Communication and Speech Acts*, The MIT Press, 1979）を開いてみると、感謝をするひとは（1）聞き手への謝意を表明し、（2）話し手が聞き手に謝意を持っていると聞き手に信じさせようという意図を表明するか、もしくは「助けてもらったら謝意を表明する」という社会的期待を満たす発話をしようという意図とこうした期待を満たす発話を自分がしていると聞き手に思わせようという意図とを表明するか、いずれかをしているのでなければならないとされている。とてもわかりにくいが、要するに本気で謝意を表明しようとしているか、あるいは本気ではないにせよ世間一般で「これをすれば謝意を表明していることになる」と思われていて、相手もそう思うような発話をしようとしているか、どちらかをする必要があるということだ。

感謝という行為がこうした条件を満たさないと適切にならないというのはそうなのだろうが、困るのは、ここには感謝が何をもたらすのかが何も語られていないということだ。どういうときに感謝という行為ができるのかが述べられているばかりで、感謝という行為をしたら何が起こるのかが説明されていないのである。どうも、ひょっとしたらこれは言語行為論という枠組み自体が持つ弱点なのかもしれない。どういうときにその行為ができるのかは扱われていても、その行為がなされたらどうなるのかは扱われない傾向があるようだ。

感謝という行為をしたら何が起こるのか？　ストレートな答えは、「感謝をしたひとは、謝意を表明したひとがするような振る舞いをするという一種の約束を相手と交わしたことになる」というようなものだろう。「ありがとう」と言っておきながら相手を邪険に扱うひとは、それによって不誠実であるとされたり、非難されたり、冷たい目で見られたり、信頼を失ったりするはずだ。それは、「ありがとう」と言うことによって交わされたはずの約束に、そのひとが反しているからだと考えられる。逆に言えば、「ありがとう」と感謝を伝えたならば、たとえそれが当人の意に反したことであったとしても、少なくとも相手と友好的な関係を保つかたちで振る舞うことが期待されるだろう。いや、期待というより、自分の発言に誠実であるためには、そうすることが求められるはずだ。

スパイダーマンに「どういたしまして！」と言われたアイアンマンは、その発言を受けてどのような振る舞いをすることになるのだろうか？　もう答えは明白だ。たとえ「ありがとう」とは言わなかったとしても、そしてたとえ当人としては意に沿わなかったとしても、相手の「どういたしまして！」を妥当な発話として受け入れてしまったなら、その発話を適切なものとするために、まるで感謝という行為をしたかのように振る舞わなければならない。それはつまり、謝意を表明したひとがするような振る舞いをすることであって、その一部として、少なくとも相手に友好的に接するということが含まれているはずだ。だからこそ、こうした「どういたしまして！」は反目しあうふたりがやがて絆を深める布石に見えるのであって、私はそのシーンを見ると「来た！『どういたしまして！』だ！」と嬉しくなるのだ。

そしてこれは「どういたしまして！」が「礼はいい」にはない可愛さを持つ理由でもあるだろう。「礼はいい」は、感謝を辞退する言葉だ。つまり、感謝しなくていいということであって、それはつまり、謝意を表明したひとのように友好的に振る舞う必要もない、ということであろう。それが「礼はいい」のクールさや、その言葉から感じる一匹狼っぽさに繋がっているのだろう。それに対し、「どういたしまして！」はむしろ嫌がる相手に押しつけがましいくらいに友好的振る舞いを求める言葉だ。何せ、感謝を辞退するどころか、勝手に感謝していることにしてしまっているのだから。そう考えると、この発言には一匹狼っぽさどころか、しっぽをぶんぶん振り回す犬のようなひと懐っこさがあるようにも思える。

こういうふうに考えてみると、もとから好きだった「どういたしまして！」のやり取りが、ますます愛らしいものに思える。言語哲学は、私的なときめきを育むのにも役に立つのだ。

該当せず

「最近、文章を書いてばかりで読む暇がない」と友人たちに愚痴る日々だが、久しぶりにほかのことをすべてほっぽり出して一気に読んでしまった小説がある。『文學界』二〇二二年五月号に掲載された年森瑛『N／A』だ。[*] そして読みながら、以前から馴染みのあるむずむずが心のうちで激しくなるのを感じた。何かというと、言葉の意味についてのモデル論的な見方へのむずむずである。

いきなりだが、英語圏の言語哲学で言葉の意味を扱うときには数学における集合論という分野の概念を用いることが多く、そういうふうにして意味を扱うアプローチは「モデル論的」と呼ばれている。集合論というのはその名の通り集合というものを数学的に扱う分野だが、たぶん「ベン図を使ったりするあれ」と言ったほうが思い浮かべやすいだろう。モノの集まりが集合で、集合のあいだには一方が他方に含まれるという包含関係があったり、ふたつの集合を足した集合がつくれたり、ふたつの集合の共通部分を切り出した集合がつくれたりする。これを駆使して言葉の意味を扱うわけだ。

世の中に存在するモノたちはさまざまな仕方で集合に括ることができる。私とか、これを読んでいるあなたとか、道を歩く人々とかを集めて一個の集合にすれば、〈人間の集合〉ができ、そのなかで特に関西で暮らしているひとたちを集めれば〈関西在住の人間の集合〉ができ、という具合に。この捉えかたが、言葉の意味をシステマティックに使ううえで便利なのだ。

基本的な発想はシンプルだ。ひとまず「三木那由他」という言葉（固有名）はモノとしての私（これを書いている存在）を指すことにして、そして「関西在住の人間」という言葉は〈関西在住の人間の集合〉を指すことにしよう。そうすると「三木那由他は関西在住の人間だ」という文の内容を、〈「三木那由他」が指し示しているモノは関西在住の人間の集合に含まれている〉みたいなかたちで与えることができる。モノとかモノの集合とかだけでなく、モノの集合の集合やモノの集合の集合の集合……、と考えていけば、さらに扱える幅が広がる。そんなふうにして、この言葉はこのモノを指す、あの言葉はあの集合を指すなどと考えるようにしていけば、言葉の意味を数学的に扱えるようになる。それによって例えば単語の意味からそれを含む文の意味がどういうふうに構築されるかだとか、文と文のあいだの推論関係はどうなっているかだとかをすっきりと分析できるのである。

私もこうした枠組みでの論文を書いたりしたこともある身であり、こうした考えかた自体には慣れ親しんでいるのだが、しかしたまに不思議な感覚になる。というのも、集合論的に捉えられた世界の姿は、あまりにスタティックに思えるのだ。どういう個体があり、各個体がどういう集合に含まれどういう集合には含まれないかがあらかじめ世界の側で決まっていて、言葉はただすでに決まっている世界の姿を写し取っているだけ、とでもいうような物の見方が、どうにもむずむずするのである。『N／A』を読みながら胸に広がったのも、この感覚だった。

「N／A」というのは英語の書類などで「該当せず」という意味合いで用いられる言葉で、「not applicable」を略したものだ。……というのがタイトルの由来だと説明されているわけではないのだが、おそらくこれを意図したタイトルだろうと想像する。[**] 主人公のまどかは、さまざまな言葉や概念を自分にとって「not applicable」なものとして、つまり適用不可能なものとして経験する。自分が抱えている生理への忌避感に「女性への抑圧」という見方が適用されることにも、自分の体に「女の子の体」が適用されることにもじんわりとした拒絶の意識を持っている。生理を止めるための手段としての小食を「拒食症」とされることにも、通っている女子高で「王子様」とされることにも、試しに交際してみた女性にその関係を「恋愛」とされることにも、そしてその女性との交際を知った同級生から「レズビアン」とされることにも。さらに言えば、私の読み落としでなければまどかが自分自身のジェンダー・アイデンティティを語っている個所もないように思う。

まどかから見たら、私はマイノリティとしての側面を持つにせよ、それでも「少数の、派閥、を作れた」（単行本七二頁）ひとのひとりであって、自分とはぜんぜん違うときっと感じるだろう。でも、女で、トランスジェンダーで、あんまり大っぴらに話したことはないけれども現在の自己認識としてはパンロマンティックな私も、実際にはここに至るまで私なりにN／Aな経験をしてきた（その経験がまどかのそれと同じだとも似ているとも言うつもりはまったくないが）。しかもそれは、よく語られるような「ずっとほかのひととは何かが違うと思ってきたけれど、『トランスジェンダー』という言葉を知って、初めて自分のことがわかった」とか、「ずっと何なのかわからなかった苦しみが、自分は本当は女なのだとわかって理解できた」といったものではない。実のところ、私には「トランスジェンダー」も「女」も、しっくりこないと感じる長い日々があったのだ。

トランスジェンダーの経験談として、「物心ついたころから自分の性別はこうだと思っていたのに、ある時期から周りが別の性別として扱ってくることに気づいて違和感を持った」というエピソードをよく耳にする。が、私はぜんぜんそうではなかった。物心ついたときどころか、私はジェンダー・クリニックに相談に行った段階でなお、「自分の性別がよくわからない」と思っていて、医者にもそのように伝えていた。自分の性別はわからない、けれど子どものころからずっと続く心身の不調が、自分が「男性」に分類されることに起因しているらしいということについては確信に至った、だから自分の性別については空欄にしたまま、とりあえず何か手を打ちたい。それが最初の診察で語ったことだった。

そもそも自分の性別がよくわからなかったのもあってか、メイクや女性用とされる服装にもそこまで強い関心は持っておらず、むしろちょっと可愛めのメンズ服を当時は好んで着ていた（ツモリチサトがお気に入りだった）。当時の私は、「女性」に分類されたかったわけではなく、「男性」を適用されない存在になりたかっただけだったのではないかと思う。自分は女性でも男性でもないXジェンダーなのではないかともよく考えていた。しかし当事者の体験談などを読むとそれはそれでなんだか私が名乗るのは違うような気がして、その一方で日々感じ続けている苦痛や自分の体に対する拒絶感はあって、途方に暮れていた。自分が何者かはわからないし、それを表す言葉も見つからないけれど、ただここに苦しみがあるということと、体をどうにかすればそれが和らぎそうだという確信だけはある。それが当時の私の感覚だった。

「トランスジェンダー」という言葉にも馴染まないものを感じていた。これはいま思うと、私自身がトランスジェンダーへの差別的な見方を学習してしまっていて、「自分はそんなおかしな存在ではない」と反発していたという面も強かったのだと思う。ただそれに加えて、自分の性別がよくわからないとか、特に女性のものとされる服装などに強い関心がないというのを、当時読んだトランスジェンダー女性の体験談などであまり見かけなかったこともあって、いまいち「トランスジェンダー」という言葉と自分を繋げられなかったという面もあったのだろう。

「トランスジェンダー」よりは「性同一性障害」（当時の呼称）のほうがまだ、医者が自分をそう診断したことは理解できるから納得のいく言葉に思えた。けれどその言葉もまた、よくよく見れば「（割り当てられたのとは）反対の性別に対する持続的な同一感」という、本当に私に当てはまるのか確信の持てない基準と結びついていた。それに加えて、あれこれの性別移行を終えてもはやジェンダー・クリニックに通う用事がなくなってからは、厳密な扱いはわからないものの私の感覚としては「いずれにせよ性同一性障害についての処置は終わり、問題が解決された状態」なのであって、「性同一性障害」という言葉も適用しようがなくなってしまった。そしてその段階に至ってなお、私は「ひとまず女性ということでやっていけそうだからそういうことにしているけれど、まだ自分から積極的にそう名乗るほどの確信はない」というもやもやを抱え続けていた。

ではどうしていまは自分からトランスジェンダーであるとも女性であるとも言い切れる

ようになったのか？　もちろん、以前には見つからなかった確信の種が内省の末に心の奥底から見つかったなどというわけではない。確信が見つかったから名乗るようになったのではなく、話は逆で、名乗るようになってから確信がついてきたのだ。

私自身が胸のうちでいかにもやもやしていようと、世の中は「あなたはまだ自分の性別がわかっていないんだね。じゃあ性差別から免除してあげよう」などと優しくしてくれるわけではない。私の事情とは関係なく、困難は降りかかる。性別移行後、まだ馴染まなくて目立ってしまい、子どもから指を差されたりすれ違ったひとから笑われたりという時期を過ぎると、そうしたことが起こりにくくなる代わりに、すれ違った男性グループが体型を寸評する（「あの身長の女はあり、かな、しか」とか）、タクシーの運転手が敬語を使わなくなる、自分の専門分野でさえ特にそれを専門としてはいない男性から「アドバイス」をされだす、電車で知らない男性に勝手に体を触られたり、付きまとわれたりする、道端で知らない男性から「値段」を聞かれる、……といったことが増えてくる。そうしたことをする人々はただ相手を「女性」に分類しさえすればそう振る舞うのであって、私自身がまだ女性としてのアイデンティティを確信できていないといった事情などお構いなしなのだ。

私はそうした被害を、それに対して抱いた怒りや恐怖を語りたかった。そしてそれを語るいろいろな方法を模索するなかで、「女性の視点からの語りかた」が私の語りたいことにうまくかたちを与えてくれそうに思えた。最初はそれでも自分を「女性」と語ることに引っかかるものはあったし、いまでもそれは多少残っているかもしれない。けれど、性差別について女性としての立場から女友達と話したりしているうちにだんだんと引っかかりは減っていた。そしてある時点でふと思ったのだ。「あ、もう『女性』で大丈夫そうだ」と。いつの間にか「女性」は適用不可能でなくなっていた。

「トランスジェンダー」もそうで、私がどれだけ「トランスジェンダー」という言葉にしっくりこない気持ちを抱えていたとしても、それとは無関係に差別は起きる。そしてそれを語るときに選べるいろいろな語りかたのうちで、私に合っていそうなのはトランスジェンダー当事者の視点からの語りかただった。しっくりとはこない。けれどそのように語る。語るうちに、いつからかしっくりきていることに気づく。

もちろん、『N／A』のまどかにもいつかいずれかの言葉にしっくりくる日が来るはずだ、などと言うつもりはない。まどかはずっと違和感を覚え続けるのかもしれない。結局のところ、まどかはまどかで、私は私なのだから。ただ単に、私はそのようにして自分のアイデンティティのいくつかを得たというだけの話だ。

こうした私自身の経験に照らすと、「モノがどの集合に属しどの集合に属さないかがまず決まっていて、言葉はそれを写し取っているだけ」という言語観は奇妙に思えてくる。

私が最初に女性として語り出したとき、トランスジェンダーとして語り出したとき、私は女性の集合やトランスジェンダーの集合に属していたのだろうか、それとも属していなかったのだろうか？　属していたと考えると私の当時のアイデンティティのありかたと合わないし、属していなかったと考えると私は偽なることを語っていたことになりそうだが、でも私は嘘を言っていたわけではなく自分自身の体験をそれにもっとも適した語りかたで、もっともありのままに伝えられる語りかたで、語っただけなのだ。

自分が何者であるかが先に決まっていて、それに照らして適用可能な言葉が定まっていく、というのではない。そうではなく、まず言葉を使って、それに合わせてだんだんと自分のほうが「その言葉が適用可能な何かに育っていく」ということがときにはあるのではないだろうか。けれどこれをどうやってモデル論的な見方に反映させていけばいいのかがよくわからない。私が長くモデル論的な見方に抱いてきたむずむずは、こういうものだった。

まどかがいつか何らかの言葉が適用可能な自分になっていくのか、それともそうならずに適用不可能なままでい続けるのかはわからない。そしてこのわからなさもまた、モデル論的な見方のなかには収まりにくそうだ。その見方では、ある言葉がまどかに適用可能であるかどうかはすでに決まっていることになっているはずなのだから。いままどかが自分に適用不可能であると感じている言葉のどれかが、ひょっとしたらのちにいつの間にかしっくりくるようになるかもしれないだとか、やっぱりいつまでもしっくりこなかったといった可能性を云々することが、その見方ではそもそもうまくできないように感じる。でも私にはそうした可能性が、言葉と人間の関係のなかでも大事なもののひとつなのではないかと思うのだ。だからこそ、自分も論文に用いたりしている言語観がそれを見落としているのではないかと意識するときには、心がむずむずしてしまう。

むずむずを解消する手立ては思いつかない。けれど、このむずむずはしっかり感じ続けていたいし、きっと感じ続けていくべきなのだろう。

*　同年、文藝春秋から書籍化された。

**　この文章を書いたあとに出版された単行本の帯には「not applicable」と「not available」の略だと記されていた。

からかいの輪のなかで

何かを相手に伝えようとして、けれどその意味が勝手に捻じ曲げられてしまうという状況に、以前から興味を持っている。体に触れられたりすることを心から嫌がって「やめてほしい」「嫌だ」と言っているのに、「嫌よ嫌よも好きのうち」式に解釈されて相手とじゃれあっていることになってしまい、周囲には「あのふたりは仲がいい」と取られるようになる、などといったときに生じている、あの状況だ。どれだけ真剣に意思を伝えても、スポンジに吸い込まれるようにして私の意思がどこかへ消えてしまって、語っても語っても相手に伝わらない、あれだ。ジェイン・オースティンの『高慢と偏見』にも、どれだけ主人公エリザベスにプロポーズを断られても、それを淑女らしいもったいぶりだと解釈し続けてまったく話が通じないコリンズ氏というキャラクターが登場する。

意味が勝手に捻じ曲げられる現象については、これまでにも私自身が提唱している哲学説をもとにあれこれと考えてきた。

コミュニケーションというと、話し手のなかに伝えたいメッセージがあって、それを言葉や身振りに変換し、聞き手がそれを受け取ってメッセージを復元することで成り立つもの、というふうに考えられがちだ。けれど私は、二〇一九年に出した『話し手の意味の心理性と公共性』（勁草書房）で、それとは少し異なる観点からコミュニケーションを捉える見方を提案した。誰かに発言をするとき、その話し手は自分のうちにあるメッセージを伝えようとしているとは限らず、むしろ「私はこれからこれこれということを信じている者として振る舞おうと思います」と持ち掛けているのではないか。そしてそれを受け取った聞き手は「では私もあなたがそういうことを信じていると想定した振る舞いをします」と応じているのではないか。要するにコミュニケーションとは話し手と聞き手のふたりで「今後、話し手はこれこれと信じていると見なしましょう」という約束事をしているようなものなのではないかと私は考えている。

たいていの約束は誠実で、約束したひとはそれがどんな約束なのかあらかじめわかっているはずだ。だが場合によっては不誠実にも約束の内容が捻じ曲げられたうえで、それにもかかわらず、その約束を守らされることがある。『賭博黙示録カイジ』というギャンブル漫画には、主人公カイジを含む数人の人々が賞金のために高さ一〇メートルのところに架けられた鉄骨のうえを渡らされるという話があるが、渡り切った人々は主催者から「賞金をやるとは言ったがここで渡すとは言っていない」という趣旨のことを言われて賞金の引換券だけを渡され、引き換えのためにはさらに命がけのゲームをクリアしなければならないと宣言されることになる。〈この鉄骨を渡れば賞金が得られる〉という約束をしたはずなのに、無理やりに〈この鉄骨を渡って引換券を得て、さらに引換所に行くためのゲームもクリアしたら賞金が得られる〉という約束に捻じ曲げられてしまったのだ。金も武力も主催者が持っている以上、ゲーム参加者側は捻じ曲げられたあとのほうの約束に従うしかない。

コミュニケーションが約束事を核とした営みで、そして約束事が捻じ曲げられ得るものなのであれば、コミュニケーションもまた捻じ曲げられ得るものであるはずだ。それが、勝手に意味を捻じ曲げられる現象の正体なのではないか。私が「やめてください」と言うことで「私はあなたの行為をハラスメントだと信じているものとしての振る舞いを今後します」という約束事を持ち掛けたのに対し、相手はそれに応じる仕草をしながら「では今後はあなたが私の行為を楽しいものだと信じていると想定した振る舞いをします」とでもいうように、私が持ち掛けたのとはまるで異なる約束を交わしたことにしてしまい、それが強引に押し通される。私が関心を持っている状況においては、こうしたことがきっと起きているのだろう。

ここまでは前々から考えていたことだが、最近気になっているのは、こうした現象における、会話に直接には参加していない人々の果たす役割である。なぜそんなことが気になりだしたのかというと、江原由美子の「からかいの政治学」という論文を読んだのがきっかけだった。

「からかいの政治学」は、ちくま学芸文庫から二〇二一年に出た『増補　女性解放という思想』に収録されている。そのタイトル通り、からかいという一見すると害のなさそうな行為が、いかに女性解放運動を無力化するような強い政治的作用を持つのかを論じていて、一九八一年に発表された論文ながら、いま読んでも「わかる！　これ、本当にしょっちゅうある！」と共感しきりな内容になっている。初出から四〇年以上経った現在でも通じる内容であることに、この論文のすごさを称えればいいのか社会の変わらなさを嘆けばいいのか、複雑な気持ちになる。

ともあれ、「からかいの政治学」では「からかい」が「遊び」の文脈にあること、それゆえ女性やその他のマイノリティへの攻撃に「からかい」という装いを与えることで、それに対する抗議を「おとなげないもの」や「理不尽なもの」として無効化する働きをすることが論じられていく。さらに女性がもともと性的な「からかい」の対象とされてきたがゆえに、女性解放運動への「からかい」に対する真面目な主張や抗議は、特有の仕方で意味を捻じ曲げられることになるという。

この結果、女性解放運動の主張は、すべて意味が読みかえられることになる。女性解放運動を行なっている女性を性的な対象として扱ってしまえさえすれば、こうした意味の読みかえは非常に簡単である。性的対象として見られた女性は、その身体的特徴のゆえに、魅力のない女と規定される。したがってその主張はすべて、「性的に満足させられていない女の欲求不満」や「ブスでもてない女の淋しさのつぶやき」と解釈される。女が自立とか自由とか解放とか叫ぶのは満足な男が見つけられないからだというわけである。

（『増補　女性解放という思想』二五八－二五九頁）

どうだろう？　いまでもこういう経験をしているひとは多いのではないか？　そんなわけで大いに共感しながら読んでいたのだが、ふと、気になったのだ。「なぜこうした読みかえが単なる誤解で済まず、女性解放運動を挫けさせかねないほどの力を持つのだろう？」と。

ただ単に、私が何かしらの抗議や主張をして、相手がそれを「欲求不満だからそんなことを言うのだ」と解釈しただけであれば、相手が変な誤解をしているという話で終わるはずだ。その相手はおかしな誤解をしたけれど、私の真意は別にあるのだから、それでいいではないか、相手のおかしな解釈に付き合ってあげる必要はないだろう、と。それだけの話なら、政治的な力というほどでもない。

でも、実際には意味を捻じ曲げられてしまうとそんな簡単には済まないような事態が起こることがある。体に触れられることに私が必死に抗議していたのに、それを相手への好意の表明だとされたうえで、相手がエスカレートした原因を私が相手を「誘惑した」ことに求められる、というようなことが現実には起きるのだ。単なる誤解だったはずのものが、どういったメカニズムでそうした力を持つようになるのだろう？

これが、相手がナイフやら銃やらを持って脅しているといった状態なら話は簡単だ。そんなもので脅されてしまうと、「そんなことを言ったつもりはないのに」と頭では思ったとしても、相手の解釈に従わなければならないことがあるだろう。だがしばしば意味の捻じ曲げは、そうした具体的な武力なしに生じる。

「からかい」が起きる場面を考えてみるのがよいかもしれない。誰かが勝手に体に触れてきて、私が「やめてください」と言ったとする。相手が「またまたあ。そんな真っ赤になって照れなくてもいいじゃない」みたいなことを言うとする。要するに、相手は私をからかっていて、だから体に触れるのも冗談の一種であって、私も本気でそれに抗議するような空気の読めない真似をしているわけではなく、そうしたやり取りを楽しんでいる、というわけだ。それでも私が繰り返し抗議したとしよう。いったいそのあと、何が起きるのだろう?

もちろん場合によるだろうが、私が自然と想像するのは、その相手が周囲のひとたちに、「三木さんは冗談が通じないなあ」などと笑いながら語りかける場面だ。周囲にいるひとりが「あなたたち、本当に仲良しだね」などと言う様子もするっと思い浮かぶ。実際、どうだろう? 現実の様子でもフィクション作品の一場面でもいいのだが、「からかい」の場面を思い浮かべると、こんなふうに周囲の人間への語りかけが含まれていることが多くないだろうか?

「からかいの政治学」でも周囲の人間の役割には触れられていて、「「からかい」を提起した者は、積極的にまわりの人々をまきこむことによって「からかい」のゲームを成立させようとする」(二四四頁)と述べられている。どうやら周囲の人間の存在が鍵になりそうだ。

直接にはコミュニケーションに参加していない周囲のひとたちがどのようにしてコミュニケーションに影響するのか? それは、コミュニケーションが約束事の構築に関わるという点から理解することができる。

私とあなたで約束を交わしたはずなのに、その約束事の理解において食い違いが生じたとき、いったい私たちは何をするだろうか？　当時の記憶をたどる、メモを確認するなど、いろいろとやれることはあるだろうが、それらはどうしても「私の記憶」であったり「あなたのメモ」であったりして、なかなか食い違いの解消の役には立たないこともある。でも、もし約束を交わした場面に居合わせたひとがいたとしたら、食い違いを解消できるかもしれない。要するに、そのひとに「私たち、どんなことを言ってた？」と確認すればいいのだ。私がどれだけ心の底から「待ち合わせ時間は午後二時だった」と確信していたとしても、第三者が「一時に待ち合わせるって言ってたよ」などと証言したなら、それでもなお自分の意見にこだわるというのはなかなか難しい。その証言を聞いてなお「いや、約束は絶対に二時だった」と言い張ったとしたら、「自分勝手なひと」だとか「理不尽なひと」、「約束を守れないひと」、「謝れないひと」などと評価されることになるだろう。

コミュニケーションが約束事の構築に関わるならば、コミュニケーションを外から見ている周囲のひとたちは、約束についての潜在的な証言者になる。私が相手に「やめてください」と言ったことでいったいどのような約束事が構築されたのか。私は〈私があなたの行為をハラスメントだと思っているものと互いに認識した振る舞いをしましょう〉という約束事をしたつもりになっているのに、相手はそれとはまったく異なる約束事をしたつもりになっているとしよう。つまり相手は、私が〈私があなたの行為を楽しく思っているものと互いに認識した振る舞いをしましょう〉といった約束を持ち掛けていると思っているわけだ。

約束事が食い違っているので、当然私たちが互いに予期するその後の振る舞いはズレることになる。私は相手が二度と勝手に体に触れたりしないものと想定しているのに、相手はこれからも勝手に体に触れるのが望ましいものと思っているのだから。そして相手が再び私の体に触れ、そのズレがあらわになったとしよう。私たちは、自分たちが何を約束したのかという点において食い違いを見せているわけだ。

約束が食い違ったときに第三者に証言を求めるのと同じようにして、私たちが第三者に証言を求めたとしたらどうなるだろうか？　私とその相手のコミュニケーションを目撃している第三者とは、要するに私の会話の相手から「三木さんは冗談が通じないなあ」などと話しかけられたり、それに応じて「あなたたち、本当に仲良しだね」などと言ったりしていたそのひとなのだ。つまり、直接にはコミュニケーションに参加してはいないものの、私の会話相手と一緒の「からかいのサークル」に属していたひとだ。そんなひとが証言をしたなら、どうしたって「あなたも楽しそうにしてたでしょ。どうして急に怒ってるの？」などという証言になるだろう。周囲の人間までそのように相手をサポートしたなら、私はそれに屈しつつどうにか切り抜けるか、あるいはそれでもなお抗議することによって「理不尽な人間」、「急に怒り出すひと」などといった評価を甘んじて受けるかしかなくなってしまう。

思うに、「からかい」などを通じて意味が捻じ曲げられるとき、それが実質的な力を持つのはこうした周囲の人間とのネットワークによってなのではないだろうか。そして、「からかい」が特にマジョリティからマイノリティに向けられたときに力を持ちがちなのは、マジョリティ側にいるひとのほうが周囲に訴えかけたときに同じように物事を見てくれるひとが多いといった点にも由来するのではないだろうか。コミュニケーションのことを、特にそれがときに持つ暴力性を考えるときには、コミュニケーションについての周囲へのコミュニケーションという側面にも目を向ける必要がありそうだ。

この原稿の構想を練っているとき、ちょうどピクシブ社で起きたトランスジェンダーの女性社員に対する男性上司からのハラスメントのニュースが目に入った。トランスジェンダーやノンバイナリーのひとたちがSNSで一斉に反応し、苦しい経験や心情を語るのを見ながら、私もいろいろな記憶や感情が揺さぶられ、ニュースが頭から離れなくなった。それは女性に向けられるセクシュアル・ハラスメントと、トランスジェンダーに向けられる（ミスジェンダリングを含む）ハラスメントと、そしてそのどちらにも還元されないような、「トランスジェンダーの女性に対してだったらシスジェンダーの女性ほど気を遣う必要はない」というトランスジェンダーの女性だからこそ向けられるハラスメントとの融合物だった。もちろん具体的な詳細についてはわからないが、被害を受けた女性も、今回語ってきたようなコミュニケーションによって力を奪われてきたのだろうかと想像してしまう。

発言の意味が奪われてしまうサークルのなかにいるときに、いったいどうしたら私たちは自分の意味したいことを意味できるのだろう。それはまだわからないけれど、せめて遠くの仲間たちと緩やかにでもつながりながら、自分の意味したい通りのことを意味してコミュニケーションができる場所を作っていきたい。

たった一言でこんなにもずるい

　何よりもまず、ずるい、と思った。なんてずるい言い訳だろう、と。結婚の平等をめぐる訴訟について、二〇二二年六月二〇日に大阪地裁で下された判決のことだ。

　現在、日本では同性のカップルが結婚することはできない。だが、異性カップルならば利用できる婚姻制度を同性カップルが利用できないのは、憲法二四条にある「婚姻の自由」、憲法一三条にある「個人の尊重」、および憲法一四条にある「法の下の平等」に反するのではないか。そうした理由から、三組の同性カップルが国に損害賠償を求める訴訟を起こしたのだが、その判決がその日に大阪地裁で出たのだった。

　下されたのは、合憲であるという判断だった。つまり、同性カップルが婚姻制度を利用できなくても、それは「婚姻の自由」や「個人の尊重」や「法の下の平等」に反することではない、とされたのである。二〇二一年三月に同様の訴訟に対して札幌地裁で違憲判決が出ていたことから多くのひとが注目していた裁判でもあり、その分だけ落胆も大きかったように思う。少なくとも私はそうだった。

判決要旨を見ていると、いくつもの気になる点がある。例えば「同性カップルと異性カップルの享受し得る利益の差異は相当程度解消ないし緩和されつつあることをも踏まえると、現状の差異が憲法14条1項の許容する立法裁量の範囲を超えたものであるとは直ちには認められない」という個所。これには、「差異が解消されていないからこそ訴訟まで起こしているのでは?」とたぶん多くのひとが怪訝に思うだろう。「異性間の婚姻は、男女が子を産み育てる関係を社会が保護するという合理的な目的により歴史的、伝統的に完全に社会に定着した制度である」のあたりは、子どもを持たない異性カップルや現に子どものいる同性カップルの存在を無視したような言い分で、判決の直後からたくさんの批判を受けていた。

そんななかで私が気になったのは、次の個所だ。

今後の社会状況の変化によっては、同性間の婚姻等の制度の導入について何らの法的措置がとられていないことの立法不作為が将来的に憲法24条2項に違反するものとして違憲となる可能性はあっても、同性間の人的結合関係にどのような保護を与えるかの議論が尽くされていない現段階で、本件諸規定自体が、立法裁量を逸脱するものとして憲法24条2項に直ちに違反するとは認められない。

どこが気になるかというと、「議論が尽くされていない」という表現である。

もちろん、「いったい誰がどんな基準で尽きたか尽きていないか判断するのか」という問題もあるだろう。でも、それだけでないなんとも言えないずるさを感じる言葉だ。

私はこの言葉の何に引っかかっているのだろう？　改めてそう考えてみると、たぶん「尽くされるも何も、そもそもまともな議論がこれまでされたことなんてどのくらいありますか？」という疑問が頭をかすめたのだと思う。

結婚の自由を求める訴訟を支援しているMarriage For All Japanという団体があるが、そのサイト内の「なぜ裁判？裁判って？」という項目には、次のような言葉がある。

法律上の結婚ができるようにするには、民法や戸籍法といった法律を改正する必要があります。そのため、法律を作るところである国会（立法権）に働きかけをするのが一番直接的なやり方です。

でも、国会は選挙で選ばれた多数派が集まるところで、少数であるセクシュアルマイノリティのために、すぐに法律の改正を進めるという気配が、いまのところありません。国会に任せているばかりでは、いつまでも改善しない状態が続いてしまいます。

「法律の改正を進めるという気配が、いまのところありません」と言われている。要するに、国会ではそもそも議論をしてくれない、だから裁判所に働きかけてきちんと物事が進むようにしてもらおうという観点から、裁判の重要性が語られているのだ。

こんなふうに並べると、なんだか妙な感じがしないだろうか？ 片や議論がなされていないから議論がきちんとなされるように求めているのに、片や「議論が尽くされていない」から現時点では違憲だとは判断できないと言っているのである。どうもこのあたりのすれ違いに、私が感じたずるさの理由がありそうだ。

ここで頭に浮かぶのが、「前提」と呼ばれる現象だ。「前提」という言葉自体はもちろん日常的によく使われるが、言語哲学や言語学においてはテクニカル・タームとして特別な使いかたをされることがある（ちなみにこの場合の「前提」に対応する英単語は「presupposition」だ）。

こんな状況を考えてみてほしい。私があなたと話をしていて、そのなかで「うちの妹が今度東京に引っ越すことになって……」と言い出す。そうすると当然あなたは「そっか、三木には妹がいるのか」と思うだろう。そのうえで、その妹が近々東京に引っ越すらしいと考えるはずだ。実際に私に妹がいて、その妹が本当に東京に引っ越すなら私は正しいことを言っているし、その妹に東京に引っ越す予定などなかったとしたら、私は嘘をついているか何かを勘違いしているか、いずれにしても間違ったことを言っていることになる。

だが実のところ、私には妹はいない（弟はいるが）。そう明かされたら、私と会話をしていたあなたはどう思うだろう？　「え？　あの話なんだったの？　なんの話をしていたの？」と訝しくなるのではないだろうか。「うちの妹が今度東京に引っ越すことになった」と言っていながら話し手である私に実際には妹がいなかったとしたら、この発言がいったい何を伝えようとしているのか、それは正しい発言なのか間違っている発言なのか、よくわからなくなる。こんなふうに、それが成り立たなくなったら問題の発言が正しいものなのか間違ったものなのかさえよくわからなくなるような事柄を、「前提」と呼ぶ。

前提という現象は、哲学者のピーター・F・ストローソン（Peter F. Strawson）が一九五〇年の論文「指示について」で言及したことで広く知られるようになり、その後の言語哲学や言語学の展開のなかで、重要なトピックのひとつとして大いに取り上げられるようになった。どのような表現が前提をもたらすのか、前提は一種類だけしかないのか、それとも異なる種類の前提があるのか、表現と前提の関係を計算する仕組みをどう作ったらいいのか、前提をほかのどこかしら似た現象と統一的に説明することはできるのか、などなど、いろいろなことが論じられている。

そうした研究の成果としていくつかのことがわかった。よく知られていることのひとつに、状態変化を表すような動詞は一定の規則に従って前提をもたらすということがある。例えば「最近、運動を始めたよ」と言うと、以前は運動をしていなかったことが前提とされる。「始めた」と言う以上は運動をしていない状態からしている状態への変化が起きているはずで、そもそもとから運動をしていたのであれば「運動を始めた」は正しいとも間違っているとも言いがたくなるからだ。同様に、「お酒を飲むのはやめました」と言ったなら、以前はお酒を飲んでいたことが前提になる。「やめた」と言う以上は、お酒を飲んでいる状態から飲んでいない状態への変化が起きているはずだからだ。

あれこれ語ってきたが、要するに私が考えているのは、「尽くされる」だとか「尽きる」だとかといった言葉は、「始める」や「やめる」と同じように状態変化を表す言葉なのではないか、ということだ。「冷蔵庫の中身が尽きた」と言ったなら、冷蔵庫のなかに何かしらのものがある状態から何もない状態に変化したということだろう。だから、買ってから何も入れたことのない冷蔵庫を前に「冷蔵庫の中身が尽きちゃった」と言っているひとがいたら、いったいそれが正しい発言なのか間違った発言なのかよくわからなくなって、その発言をどのように受け止めたらいいかもわからなくなるのだ。

さて、前提の面白いところとして、文全体を否定しても前提は否定されないという性質がある。「お酒を飲むのをやめたりはしていないよ」と言った場合にもお酒を飲んでいる状態にあった（ある）ということが相変わらず前提とされるし、「うちの妹に東京に引っ越す予定はないよ」と言った場合にも私に妹がいるということが相変わらず前提とされる。前提は否定を突き抜けるのだ。

そうすると、「議論が尽くされていない」という発言も、「議論が尽くされた」という発言と同じ前提を持つことになるだろう。「議論が尽くされる」というのは要するに、議論がなされている状況からもうこれ以上なされない状況への変化を語っているのだろうか ら、つまりはともかく何かしらの議論がなされていることが前提となっているはずだ。「議論が尽くされていない」にも、これと同じ前提がある。

これがまず、私が感じたずるさのひとつ目のポイントなのだと思う。議論が始まらないからこそ訴訟が起きているはずなのに、その肝心の判決では議論がなされていることが前提になってしまっているのだ。そもそもお酒を飲まないと言っているのに「あ、お酒飲むのやめたんだ」と言ってくるひとがいたら「ちゃんと話を聞いてよ」と思うところだが、ちょうどこれと同じちぐはぐさが「議論が尽くされていない」にはあるように思える。

でも、これだけの話なのだろうか？　なんだかもっとひどくずるいことがなされているような気がする。

ここでさらに前提に関する研究を取り上げよう。哲学者デイヴィッド・ルイスの一九七九年の論文「言語ゲームにおけるスコア記録」（“Scorekeeping in a Language Game”）によると、前提が正しいかどうかわかっていないときでも、私たちはしばしば「その前提はきっと正しいのだろう」とするっと受け入れてしまうという。以前にも紹介したことのある、調整（アコモデーション）という現象だ。私が「うちの妹が……」と言ったなら、私に妹がいるかどうか本当は知らなかった場合でも、あなたはたぶんするっと「こんなふうに言う以上、妹がいるのだろう」と文脈を調整して話を聞くだろう。だからこそ、私には実は妹などいないと明かされると、困惑するのだ。

もちろん、初めから私に妹などいないと知っているひとはこのようには理解しない。だが、私に妹がいるかいないか知らないひとなら、はっきりそう意識するわけでなくとも、「妹がいると本人が前提にして発言しているのだから」と、文脈を調整して発言を理解するはずだ。

さて、判決要旨にある「議論が尽くされていない」という文面を見たとき、結婚の平等をめぐるあれこれについてすでに馴染みのあるひとならば、「いや、そもそも議論されてもいないんですけど」と考えて、議論が何かしら進んでいるという前提をするっと受け入れたりはしないはずだ。でも問題は、それ以外のひとたちではないだろうか。

　たぶん、この判決が報じられて初めてこの話題に触れたというひともたくさんいるはずだ。そしてそうしたひとは、何せ初めて触れたのだから、これまでの経緯についてもあまり知らず、その時点では議論が進んでいるとも進んでいないとも特に思っていないのではないだろうか？　そんなひとが「議論が尽くされていない」という言葉を目にしたならば、「そっか、議論がなされてはいるけど、まだ尽くされてはいないのだな」とするっと受け取ってしまうのではないだろうか？

　もしそうだとすると、「議論が尽くされていない」に関しては単に「尽くされたか尽くされていないかの基準が恣意的だ」や、「そもそも議論が始まりさえしていないんですが」といった点だけが問題なのではないことになる。この言葉には、あまり詳しくないひとが聞くと「議論がなされてはいる」という印象を自然と受け取ってしまうような前提が含まれていて、それは結果的に訴訟を「いままさに議論が進展している途中なのに、なぜかやけに焦って判決を求める振る舞い」のように感じさせるものになっているのではないだろうか？

　どうだろう？　そもそもちゃんと議論を始めてくれないというところから始まった訴訟なのに、「議論が進行している」と前提にしたうえで、周囲の人間には「議論は現在進行中で、それなのに焦って訴訟を起こしたひとがいるんですよ」という印象を与える発言。もちろん、そういうことを意識的に狙って言葉を選んだとは限らないのだが、ともあれ、私が感じたずるさはこういったものだったように思う。

それにしても、このアンバランスさはなんだろう。「議論が尽くされていない」のたったひとことでこんなにいろんな効果をもたらすことができるのに、そのずるさを暴こうとしたら、こんなにもたくさんの言葉を尽くさないとならない。それもまた、なんとずるいことだろうと思うのだ。

給料日だね！

心惹かれるひとに出会ってしまった。一緒に歩いているだけで楽しく、そして少し目を離すと何をしだすかわからずどきどきするものだから、じっと様子を見続けてしまう。誰かというと、ゲーム*Fallout 4*のケイトさんというキャラクターである。

*Fallout 4*は、ベセスダ・ソフトワークスが二〇一五年に発売したロールプレイングゲームだ。ベセスダ・ソフトワークスというと、*The Elder Scrolls V: Skyrim*（『スカイリム』）の発売元でもある。『スカイリム』に登場するブレリナさんという人物がいかに可愛らしいか、ブレリナさんのセリフがそのバリエーションの少なさにもかかわらず、いかに場面によって表情を変え、そのたびに新たな魅力を発揮してくれるかといったことを、前著『言葉の展望台』の「会話の引き出し」の章では延々と語った。

*Fallout 4*は、システムや操作感においては『スカイリム』によく似たゲームだ。ただ、世界観はだいぶん違う。『スカイリム』はいわゆる「剣と魔法の世界」で、主人公はドラ

ゴンやら巨人やらマンモスやら山賊やらがうろうろしている土地を、剣や盾や魔法を駆使して冒険する。これに対して、*Fallout 4* はポストアポカリプス的な世界観で展開されるゲームだ。二〇七七年に大きな核戦争が起き、その際に核シェルターに避難して冷凍睡眠に入った主人公が二一〇年後に目覚める。そのシェルターの唯一の生き残りである主人公は、かつての文明がすっかり崩壊し、あちこちが放射能で汚染され、盗賊や怪物が暴れまわっている世界で、廃墟に街を作って生きる人々と出会いながら冒険する。映画『マッドマックス』の二作目以降の雰囲気を想像してもらえばいいだろう。

どうも私はベセスダ・ソフトワークスのこの手のゲームと相性がいいようで、*Fallout 4* もプレイし始めるや、仕事をしないでいい時間がちょっとでもあると、スケジュールの隙間を埋めるようにして遊んでいた。このゲームに登場する仲間たちはやけに愛らしく、彼らと一緒に冒険するのが私にはたまらなく楽しかったのだ。なぜかわからないがずっと主人公を慕ってくれる犬、核戦争前に主人公の家で家事を担当し、戦争後も二一〇年にわたって主人公の帰宅を待ち続けてくれていたロボット、暴力が支配する世の中でそれでも正義を求めて取材をするジャーナリスト、人造人間の探偵、……。とにかく、みんなとてもいいのである。そのなかでとりわけ好きになったのが、冒頭に出てきたケイトさんなのだった。

ケイトさんは、盗賊たちが集まる娯楽施設で闘技場に出場して戦っている女性だ。主人公がその娯楽施設にやってきて盗賊たちを一掃してしまったために職を失って、主人公についてくるようになる。ケイトさんはこの殺伐とした世界に適応したような価値観の持ち主で、主人公から優しくされると不審そうな態度を示すし、主人公が他人に親切にすると不機嫌になってしまう。そして目を離すと勝手にバーカウンターにふらふらと歩いて行って、ただのお酒ではない何かを要求してバーテンダーにたしなめられたりする。その様子が、なんだか野良猫のようで可愛らしいのだ。

さて、そんなケイトさんだが、とりわけ私が気に入ったセリフがある。*Fallout 4* では盗賊を退治したりしたあとは、倒れている敵から持ち物や銃、服などを奪い取ることができるのだが、ケイトさんを引き連れてそんなふうに盗賊の持ち物を漁ろうとすると、嬉しそうに言うのだ。

「給料日だね！」

これが私の心をとんでもなく摑んでしまった。なんだかよくわからないが、可愛い。なんなんだ、この魅力的なひとは。いや、ひょっとしたら文章でこれを読んだだけだと何がそこまで素敵なのかわからないかもしれないけれど……（気が向いたらぜひ実際にプレイしてみてほしい）。

もちろん、口調の問題もあるだろう。不機嫌そうな声や気怠そうな声で話すことが多いケイトさんが、このときは普段より明るい声で本当に楽しそうに言うのだから。でも、それだけではない気がする。何か、「給料日」という比喩の使いかたに私は心惹かれているように思う。いったい「給料日」のメタファーの何がそんなに魅力的なのだろう？

AをBにたとえるメタファーについて、たぶんよくある理解は、Bに帰属される何らかの特徴がAにはあるとそのメタファーは伝えている、というものだろう。「きみは太陽だ」と言うと、聞き手が輝かんばかりに美しいだとか、聞き手といると話し手は幸せな気持ちになるだとか、そのようなことが伝わる、というわけだ。

確かに、「給料日だね！」も何らかの類似性に関わってはいそうだ。要するに、ケイトさんは給料日と追いはぎのあいだに類似性を見出しているのだろうし、それはたぶん「給料日も追いはぎもお金が得られるという点で似ている」といったようなことだろう。ただ、これだけだとあまりに素っ気なさすぎる気がする。

問題は、給料日と追いはぎが「それによってお金が得られる」点で似ているというのは、あまりに当たり前だということにあるのかもしれない。「どっちもお金が得られる状況を指していて、その点で確かに似ている。それはそうだけれど、でもそれがどうしたというのだ？」と感じてしまうのだ。それにそもそも、「お金が得られるという点で似ている」というだけなら、「お宝だね！」などでもよかったはずなのだが、「お宝だね！」にはどこか、「給料日だね！」にある微妙にずれた感じが足りていない。普通すぎてあまり愛嬌がないのだ。ケイトさんの独特な可愛さは、これでは説明しきれていないのである。

ひょっとしたら、もうちょっとメタファーというものをじっくり見てみたら何かわかるかもしれない。ここで参照したいのが、ジョージ・レイコフ（George Lakoff）とマーク・ジョンソン（Mark Johnson）によるメタファー研究の古典的名著『レトリックと人生』（渡部昇一・楠瀬淳三・下谷和幸訳、大修館書店、一九八六年）だ。邦題では「レトリック」となっているが、原題は *Metaphors We Live By* であり、「生を導くメタファー」といったような意味合いのタイトルだ。この本では、それまではあくまで言語上の工夫でしかないように思われがちだったメタファーが、実は人間が物事を理解する際に頻繁に用いている基本的な認識の枠組みの表れなのだと論じられている。

一例を挙げてみよう。私たちはよく、人生を旅にたとえる。学校の卒業を「門出」と捉えたり、ある程度の年齢を迎えることを「折り返し地点」と述べたり、ときには人生の「終着点」について語ったりもするだろう。そうした場面では「人生は旅だ」と述べられたりもするだろうが、そこで重要なのは、人生と旅のあいだに類似点があるかどうかではない、とレイコフらは考える。メタファーを類似性という観点から捉える場合には、人生についてもすでにそれがどういうものなのかがわかっていて、そのうえでそれらが持っている性質や特徴を比較考量することで、それらが似ているかどうかを判断しているという見方になるだろう。これは要するに、既知のもの同士の比較である。だがそうではなく、メタファーはそれなしでは生まれなかった認知を可能にするというところに特徴がある、とレイコフらは言う。

「人生は旅だ」というメタファーのもとで人生を捉えるとき、私たちは旅というもののなかに含まれる構造を人生というものの構造へと、いわば投影している。旅のなかには出発点と目的地があり、そしてその経路によっては折り返し地点がある。それが人生という別の領域へと投影されることによって、人生にも旅と同様の構造が読み込まれることになる。このとき、この投影なしでは単なる卒業でしかなかったものが旅への出発、すなわち「門出」として新たに理解されるようになったり、また人生の中ごろという年代について、それまではこれといった特徴づけはなかったのにいまや「折り返し地点」という独特の位置づけが与えられたり、ということが起きる。要するに、メタファーは既知のもの同士の比較ではなく、既知のものが持つ構造を未知のものに投影することで、後者を理解可能にする認知的仕組みなのだ。少なくとも、レイコフらはそのように考えている。

実際のところ、このように既知の構造を未知のものへと投影して後者を理解可能にする仕組みは、かなりいろいろな場面で見られる。人通りの多い道を歩くとき、私たちはそれを「流れ」として理解して、その流れに逆らわないルートを選ぶことでスムーズに移動することがあるが、このとき私たちは、流体というものが持つ構造（ここでの「構造」はモノとしての構造というより概念的な構造だ）を人間の集まりに投影することで、人間の振る舞いを把握しているのだといえる。また、誰かに何かを説明するときにも比喩は活躍する。数学の証明を「ゲームだと思ったらいいよ」などと言うときには、相手がゲームについては理解していると想定したうえで、そこに見出される構造を数学の証明へと投影するように促しているのだろう。

……といった、メタファーに関する研究を踏まえて、どうにか私の感じるケイトさんの愛らしさを捉えられないだろうか？　レイコフらの話からすると、ケイトさんが「給料日だね！」と言うとき、ケイトさんは単に追いはぎと給料日とのあいだに何らかの類似性があると述べているわけではないはずだ。きっとケイトさんは給料日というものの構造に関する理解がまずあり、それを追いはぎ行為に投影しているのだろう。でも、給料日の概念的な構造とは、いったいどういうものだろうか？

給料は労働に対する対価として得られる。そして「給料日」というのはもちろん給料が得られる日のことであって、そして給料は雇用者によって支払われる。またわざわざ「給料日」と言う場合、こうした日が定期的に（例えば月に一度）訪れることが前提とされるだろう。これらは給料をめぐる制度に関する話だが、それに加えて給料日は生活においてひとつの周期となっており、一定の期間ごとに給料日が巡ってくる、という点も給料日をめぐる構造のなかには含まれているかもしれない。春に花が咲き、夏までに散り、秋冬とひっそりとたたずんでいた木から次の春にまた花が咲くというように、給料についても、給料日にお金が手に入り、それをぱーっと使ってしまい、そして節約に努める数日間があって、また給料日がやってくるというようなサイクルが、私たちの生活のなかではしばしば経験されている（少なくとも私は身に覚えがある）。

さて、こうしたことが給料日をめぐる概念的な構造をなしているとすると、ケイトさんは「給料日だね！」と言っているときに、その構造を追いはぎ行為へと投影するかたちで追いはぎ行為を認識していることになるだろう。そうすると、追いはぎ行為によるお金の獲得は給料の獲得に対応し、そしてとっかえひっかえ敵が襲ってくる状況は給料日の周期に対応し、……となっていく。

いや、でも待ってほしい。そういうふうに考えていった場合、例えば給料をくれる雇用者に対応する何かが追いはぎ行為にもあるということになるのだろうか？　しかし、追いはぎに関しては主人公（とケイトさん）が勝手にやっていることであって、誰かが進んでお金をくれているわけではない。また追いはぎで得られる金品が労働に対する対価として得られているかというと、そこも対応していないような気がする。実際、追いはぎ行為においては、倒すのに非常に苦労した敵から得られる金品が少なく、容易に倒せた敵から貴重なものが手に入るということもあって、労働とその結果として得られるものとが見合っていないことが多いのだ。もっとも、これは労働による給料の獲得でも同じかもしれないが……。

追いはぎ行為と給料日に何かしらの類似点があるかと問われると、確かに「それによってお金が得られる」などの類似点があるにはあるのだが、しかしこのように構造の投影という観点から見てみると、意外とこの両者は似ていないのではないかという感覚が生じる。どうも私には、給料日にまつわる概念的な構造をもとに追いはぎ行為をうまく理解することは難しいようだ。レイコフらによると、メタファーは対象となっているものに既知の構造を投影してその対象を理解する認知的仕組みであるわけだが、ケイトさんの「給料日だね！」のメタファーから、私はケイトさんが利用している認知の仕方をうまく自分のものにすることができないと感じるのだ。

ここが、ケイトさんの「給料日だね！」の魅力なのかもしれない。私はうまくその認知を形成できない。けれど主人公の追いはぎ行為を見て「給料日だね！」と言うケイトさんには、そうした認知があるのだ。その違いがどこにあるかというと、給料日というものの持つ概念的な構造に関する理解の仕方が、私とケイトさんとでは違っているということなのではないだろうか？　闘技場でお金を得て暮らしていたケイトさんにとっては、ひょっとしたら給料とは雇用主から得られるものというより、戦う相手がいるおかげで得られるものと捉えられているのかもしれない。その金額についても、労働に見合った分だけ得られるというのとは、何か違う理解のもとで捉えられているのかもしれない。

そう、ケイトさんが「給料日だね！」と言うとき、私は同時に、そのようなメタファーを使える、つまり給料日について私とは違う理解をしているケイトさんのことを、そんなケイトさんがこれまでたどってきた道筋のことを、無意識のうちに感じ取っているのではないだろうか。そして、その「給料日だね！」を屈託なく明るい声で発するケイトさんに、私自身とは違う生活を肯定する力を感じて、それが魅力的に思えるのではないだろうか。そのいろんな感情がまぜこぜになった魅力を、私は「可愛い」というふうに言い表しているのかもしれない。

実際は、ケイトさんは必ずしも自分の過去をすべて肯定的に捉えているわけではない。ケイトさんと仲良くなるにつれて、子どものころの話を聞かされたり、ケイトさんの抱える苦しみについて打ち明けられたりすることもある。それでもケイトさんは、「給料日だね！」と明るく言う。過去のすべてを受け入れているわけではない、けれどそうした過去を経ていまこういうふうに世の中を理解している自分のことを恥じたりはしていない、そんな複雑ながらも爽やかなところが、よりいっそう私を惹きつける。

ひょっとしたら、こうしたことはケイトさんに限らず、いろいろな場面で起きていることなのかもしれない。理解しがたいメタファーや、どこかずれた下手なメタファーに出くわしたとき、私たちは単にそれが「うまく類似性を捉えられていない」と判断するだけではなく、自分にとっては理解しがたいそのメタファーのもとで物事を捉えるに至ったそのひとの人生や生活を、その言葉に垣間見てしまう。はっきりとそれと意識するかどうかはともかくとして。ケイトさんの「給料日だね！」は、そのひとことからケイトさんの過去や現在の生活や人柄を感じさせる魅力を持った言葉だった。でも変わったメタファーは必ずしもそうした素敵なものばかりではなく、例えば「産む機械」などのように、そこから垣間見える話し手の人生に暴力的なものを匂わせるものもある。

レイコフらはメタファーが私たちの生を導く認知の枠組みであるとしていた。だからこそ、ふいに顔を出す風変りなメタファーに、私たちは自分とは違う人生を送る話し手の姿を見出すのかもしれない。

言葉のフィールド

定義を訊くということについて考えている。きっかけは、「ひろゆき」として知られる西村博之による、沖縄県名護市辺野古での米軍基地建設に反対しておこなわれている座り込み抗議に対する発言である。私が見かけた動画では、実際に座り込みをしているひとに向かって西村が「座り込みの意味がたぶん理解されてないと思うのですけど」、「それは座り込みじゃなくて抗議行動です」などと言い、勝手に言葉を定義するなと返されて「僕の定義じゃなくて辞書の定義なんで」と返す様子が映されていた。

なぜ気になるのかというと、こうしたやり取りに私自身も身に覚えがあったからだ。もちろん、研究者として過ごしている以上は普段から言葉や概念の定義を気にしたり、それについて論争したりもするが、そのことではない。日常生活において、定義を問われるような経験がこれまでにあったのだ。

例えば、私がトランスジェンダーとして暮らすうえでの苦労を知り合いに語るとする。

戸籍変更前の履歴書の性別欄に何を記載したらよいかわからずたいへんに悩んだという話。あるいは、エストロゲン（いわゆる「女性ホルモン」）もテストステロン（いわゆる「男性ホルモン」）もほとんど分泌されない体質なので、定期的にホルモン補充療法を受けないと更年期障害の症状が出て大変なのに、病院に問い合わせた際にトランスジェンダーであることを率直に打ち明けたら診療を拒否されたという話。

それを聞いた相手はさも同情的な表情で頷きながら、けれど私が話し終わるやこう訊くのだ。「ところで何で自分がトランスジェンダーだと思ったの？」あるいは、「あなたが自分は女性だと言う、そのときの『女性』ってどういうこと？」

そこで話を打ち切ったり逸らしたりすることもあるが、もちろん自分なりの理解を説明することもある。納得してくれればそれでおしまいなのだが、ときには「いや、私は『女性』とはこういうものだと思う」だとか「あなたの定義は間違っているように思う」と言い返され、話が終わらないこともある。例の辺野古の動画を見たときに私が思い出したのはこうしたことだった。そして改めて思ったのだ。定義を訊くという行為はときに暴力的に感じられる、と。でも、ただ定義を訊くというだけのことがいったいなぜ、どのようにして暴力的になりうるのかは、けっこう難しい問題かもしれない。

一般的に言えば、定義を確認するというのは大事なことに思える。例えば数学の証明をするときには、繰り返し定義に遡って考えないと、すぐにわけがわからなくなってしまう。全単射には逆写像が存在することを証明したい？　なら、「全単射」の定義を確認して、「逆写像」の定義を確認して、必要なら「写像」の定義も確認しよう。哲学の議論だってそうだ。「固有名の意味はその指示対象で尽くされるのか？」みたいな問題について議論をする際に、「固有名」や「指示対象」の理解にずれがあったら困るし、もしずれがありそうだったら定義を確認し直す必要がある。

だからこそ、なのだろう。「定義をこんなふうに求められること自体が不当に感じる」などと言うと、議論に必要な前提をないがしろにしているように捉えられたり、まともな議論を放棄しているかのように言われたりすることもある。でも、そうなのだろうか？　定義の確認というのは本当に常に大事で常に正当なことなのだろうか？

もちろん、「定義を与える」ということについての理解の偏りも問題だ。冒頭で言及したように、西村は「辞書の定義」を一種の権威と見ているようだ。その立場からすれば、「定義を与える」とは「辞書に記載されている説明を提示する」ということとなるだろう。同じ言葉でも辞書ごとに説明が違うことを考えると、「そもそもどの辞書？」と思うところだが、それを置いておいても、そのような定義観には問題がある。辞書というのはあくまでそのときどきの私たちの言語使用を調査して記載しているものだ。辞書がある種の聖典のように与えられ、私たちの言語使用がそれに追従しているわけではないのである。

言葉の定義は辞書によって決められるという考えが不十分だとして、ではほかにどのような見方があるだろうか。ひとつのよくある例として、言葉の適用条件をその言葉の定義と見なす言語観がある。例えば「犬の定義とは何か」と訊かれて「わんわんと鳴く動物であること」と答えたとすると、これは要するに「犬」という言葉はわんわんと鳴く動物に適用されると言っていることになるだろう。もちろんこの定義は単純すぎて現実的ではないのだが、ともかくこの例のように「こういうものにこの言葉は用いられます」と述べることによって定義が与えられることは確かにある。

おそらく言葉の定義と聞いて多くのひとがぱっと思いつくのは、この適用条件による定義のことだろう。ただ、言葉を定義するときにいつでもこの方法が取られるわけではないし、実際のところ私たちはこのやり方では定義が与えられない言葉も普通に使っている。

例えば「三木那由他」という言葉を使うひとは、何かが「三木那由他」と呼ばれる条件を知っているわけではないはずだ。単に私という人間のことを知っていて、私の話をしたいときに「三木那由他」と呼んでいるだけであって、「三木那由他をほかの人間と区別する本質的な条件とは何か？」みたいな哲学的な問いへの答えを持ったうえで、「しかじかの条件を満たす人間に『三木那由他』は適用される」などと考えて「三木那由他」という言葉を使っている者はきっといない。

あるいは「赤い」という言葉はどうだろう？　おそらくほとんどのひとは「波長がこれこれの範囲の光を発するものを『赤い』と言う」みたいな条件など考えたことさえなく、ただこれまでに「赤い」と言われてきたものたち（郵便ポストとか、サンタの服とか、リンゴとか）をもとにして、それに似ていると思われるものを「赤い」と呼んでいるだけではないだろうか。

「三木那由他」や「赤い」みたいな言葉に関しては、適用条件としての定義が与えられて初めてその言葉が使えるようになるわけではなく、実際に実例に接していくことで言葉が使えるようになるものと考えられそうだ。こうした言葉の使い方は実例を一個一個挙げていくことで説明されるだろうが、哲学ではこうした説明の仕方を「直示的定義」と呼び、これも言葉の定義を与えるひとつの方法だと考えている。

辺野古の件や私自身が経験した場面においては、「定義を問われたならば適用条件を提示しなければならない」ということが前提にされていたように思える。「座り込みとは何か」と訊かれて「これも座り込み、あれも座り込み」と実例を挙げるのではきっと満足してもらえないだろうし、「あなたが『女性』と呼ぶのはどういうものか」と訊かれて「このひとも女性だし、あのひとも女性だ」と挙げていくのでは納得してもらえなかっただろう。おそらく、適用条件を与えないとそうした場面で相手は引き下がってくれない。でも「三木那由他」や「赤い」といった言葉のように、そもそも適用条件を挙げるのが困難な言葉というものはある。「座り込み」や「女性」もそうではないだろうか？

だとしたら、定義を訊いておきながら「ただし適用条件としての定義しか答えとは認めません」という態度を取るのは、無理難題を吹っかけていることになる。それに応じて何かしら答えを返したとしても、きっと「こういうときはどうなんですか？」と反例を返すのは容易だ。だって、それはそもそも反例がないようなかたちで適用条件を決定するのが困難な言葉なのだから。「いやそうでない、これは適用条件がきちんと決定できる言葉なのだ」と言うのであれば、定義を問うている側がそう考えるべき根拠を挙げなければならないはずだ。

……という、「定義」の定義の狭さの点でも何らかの不当さは感じられる。でも、私が日常生活における困難を語る場面で「トランスジェンダーって何？」、「女性って何？」といった質問をされることに感じるフラストレーションは、それだけではないように思う。何かもっと、本当に語りたいことを語れないようにされて、本当ならどうでもいい話に焦点が移されている感覚があるのだ。

そう、「どうでもいい」というのが重要だ。私と相手のあいだで「トランスジェンダー」

や「女性」といった言葉の定義について合意に至ったとして、それが何なのだろうか？私はそもそも別にそんな話をしていたのではないのだ。私は自分の経験した就職活動における大変さや医療へのアクセスのしにくさについて話していたのである。「トランスジェンダーとは何か」に相手の納得する答えが見つかったとして、それが私の生活をどうスムーズにしてくれるのだろう？　むしろそんな合意はなくても構わないから、「じゃあうちの会社で募集をかけるときには気を付けよう」と考えたり、信頼できる病院を紹介したりしてほしいのだ。いや、そこまではいかなくても、とにかく生活に関わる話をしたい。私は自分の生活について語っているのだから。言葉の定義の話はその点で、はっきり言って「どうでもいい」とさえ感じる。辺野古の件だってそうではないだろうか？　話すべきは進みゆく基地建設やそれへの反対運動の現状のことであって、「座り込み」の定義なんて本質的な問題ではないのではないか？

ひょっとしたら、ルートウィヒ・ウィトゲンシュタイン（Ludwig Wittgenstein）の「言語ゲーム」というアイデアを参照することができるかもしれない。ウィトゲンシュタインは『哲学探究』という本のなかで私たちの言語使用をゲームにたとえた。私たちがひととしゃべったり文通をしたりしているときには、チェスをしたり鬼ごっこをしたりするのと同じように、言語ゲームというゲームをしているのだ、とウィトゲンシュタインは考える。これは非常に影響力を持つ見方で、いまでも多くの哲学者がこの発想を取り入れて自身の議論を展開している。

ただし、注意点がある。「私たちは言葉を使った言語ゲームをしている」と言ったからといって、私たちの言語使用のすべてが一個の巨大なゲームのなかでなされているわけではない。言語ゲームというアイデアの重要なポイントは、私たちはそれぞれ異なるたくさんの言語ゲームをその場その場に応じてプレイしていると考える点にある。

このことはトランプと比較するとわかりやすい。同じトランプを、私たちはポーカーに使ったり、七並べに使ったりする。使われているトランプは一緒だが、ポーカーと七並べはぜんぜん違うゲームで、同じ♡のKのカードでも、それぞれで持っている意味合いや使われ方はぜんぜん違う。ポーカーではそれは強力な役を揃えるためのキーカードになるかもしれないが、七並べではほかのプレイヤーに♡の列を少しでも止められたら手札に残ってしまう大きな弱点となるだろう。

私の理解する限り、言葉というのもそういうものだとウィトゲンシュタインは考えていた。私たちは言葉を使って授業をおこなうこともあるし、冗談を言い合うこともあるし、いろいろなことをする。そしてそれらは必ずしも同じゲームではなく、ポーカーと七並べのようにぜんぜん違っていて、だから同じ言葉でもまるで違う使われ方をする。

気になるのは、実際に座り込みをしているひとや実際にトランスジェンダーとして生きているひとが、「座り込み」や「トランスジェンダー」といった言葉を使っておこなっているゲームと、その定義を問いたがるひとがおこなおうとしているゲームがまるで違うように思えることだ。私が「トランスジェンダー」という言葉を使うことで何をしようとしていたのかというと、自分が直面している問題についての工夫の仕方を探ったり、今後のための情報共有をしたりといったことではなかったか。その言語ゲームと、「『トランスジェンダー』という言葉はいかに使われるか？」の答えを探す言語ゲームはぜんぜん違う。ふたつ目のゲームをどれだけ巧みにプレイしても、私はひとつ目のゲームを先に進めることができないのだ。

言葉の定義を問題にする言語ゲームを「メタゲーム」と呼ぶことにしよう。私はメタゲームではない言語ゲームをしていたつもりだったのに、相手が勝手にメタゲームへと移行してしまう。それが私には不当に感じられたのだろう。だって、そんなゲームはそもそもプレイしていなかったのだから。そして相手に合わせてメタゲームをプレイする限り、おもとの言語ゲームは進行が止まり、私が望んでいたことは何もできなくなってしまう。ゲームをシフトすることで何も言えなくする、「ゲームシフト的サイレンシング」とでも呼べるようなことがなされている。これが起きる限り、私はもとの言語ゲームをプレイできないし、そうすると自分の大変さを伝えることも、それについて対策を一緒に考えてもらうこともできなくなってしまう。

この問題は、ほかのゲームを思い浮かべるとわかりやすい。サッカーをやっている最中に「『ハンド』って何ですか？　正確にはどこまでが手に該当するんですか？」と延々と審判に訊き続けるプレイヤーがいたら、試合なんてやってられないだろう。たいていのゲームだとそうしたプレイヤーは退場させられるが、多くの言語ゲームには退場の規定がない。それが問題なのだ。

もちろん言葉の定義を問うこと自体が重要な意味を持つ言語ゲームも存在する。哲学の議論はそのひとつだろう。あるいはルールブックや入門書では「この言葉の定義はこうで……」といった解説もされるだろう。でも、そうではない言語ゲームもある。それらを区別せず、どんなときでも定義を問うことが重要に違いないと決めてかかったなら、言語ゲームはただひとつではなく、いろいろあるのだという点を見逃している。

ゲームシフトが、そもそもあらゆるひとに等しく可能なわけではないという点も気になるところだ。シスジェンダーのひとが何か話しているときに、「あなたが自分は『トランスジェンダー』でないと思うときのその『トランスジェンダー』って何ですか？」とか「あなたはいま自分が男性だと言いましたが、その『男性』って何ですか？」と私が訊いても、親切なひとは答えてくれるかもしれないが、たいていは単に無視されて終わるだろう。私のことを無視したってその他の多くのひとの理解は得られるし、メタゲームに移行せずもとの言語ゲームを続けることができるからだ。

私は、そうではなかった。多くの場面で、相手がメタゲームにシフトしてしまったら、ある程度はそれに応じざるを得なかった。私がもとのゲームに戻ろうとしても相手のほうはそれを無視することができるし、無視しても何の問題もない。けれど、私は相手が話を打ち切ってしまうとどうしようもない場面も多く、とにかく話を続けるために相手のゲームシフトに付き合うしかなくなることもある。「理解を得るためには対話が必要」とよく言われる。そう、必要な場面があるのだ。だから私は相手のゲームシフトに付き合う。そしてその結果、理解を得るために本当に必要な言語ゲームは逆説的にも進めることさえできなくなり、疲労だけが残る。そうしたことが、何度もあった。

定義を問うことがときに暴力的になるのは、このためだ。ゲームがシフトされることによって、ゲームシフト的サイレンシングがもたらされることがある。それをされると、本来大事だったはずの言語ゲームはただただ停滞してしまう。一種の遅延行為だ。

この遅延行為にどう対応したらいいのかはわからない。たいていの場合は、相手がゲームシフトをした時点で、乗ってもゲームシフト的サイレンシングが成立して負けてしまうし、乗らなければ単に無視されて負けなわけで、実質的にはこの時点ですでにゲームセットだ。言語ゲームに審判がいるならぜひ反則を取ってもらいたいところだが、残念ながら言語ゲームに審判がいることはほとんどない。どうしようもない。どうしようもないので、私はただただ敗者としてフィールドを去り、別のフィールドで新しい言葉を再び投げ始める。誰かが本当にこのフィールドに現れて、私の言語ゲームに参加してくれることを願って。

カミングアウト

年末年始の時期になるとよく思い出すことがある。両親と弟へのカミングアウトのことだ。ある年末に、私は「今回の帰省でちゃんとカミングアウトするぞ」と心に決め、実家へと帰った。ジェンダークリニックで診断を受けるにあたって子どものころの写真を持ってきてほしいと言われてもいたし、今後のことを考えると両親や弟にそろそろきちんと話したほうがびっくりさせないで済むという気持ちもあった。まだ診断を受ける前ではあったが、苦痛を少しでも和らげようと個人輸入代行サービスを利用して海外からホルモン剤を取り寄せ、フライングで摂取していたというのも、影響していた。診断が出る前であるにもかかわらず、すでに身体的な変化が起き始めていて、そろそろ誤魔化しようがなくなっていると感じていたのだ。

カミングアウトというのを経験したひとはわかると思うが、カミングアウトの言葉はとんでもなく口に出しづらい。回数を重ねるとだんだん慣れるのだけれど、最初のカミングアウトは、その成否に世界の命運がかかっているような気持ちになる。

最初は母に「女性として暮らそうと思っていて、いま病院にも通っている」と話した。母は以前から旅行をすると私には可愛いアクセサリーをお土産に買ってきてくれたりしていて、なんとなくすでに察しているのではないかと思っていた。そしてそれは実際にそうで、私がホルモン剤を摂取していることも認識していた。次に弟に打ち明けたのだが、弟が当時それをどう受け止めたのかはよくわからない。それについては「そうなんだ」で終わり、すぐにもとの話題に戻ったように記憶している。父には別の日に、夕食の時間に語った。父はショックを受けていたように見えた。でも、全般的には私のカミングアウトは「成功」だったのだと思う。特に家族と縁が切れたりすることもなく、むしろサポートをされながらその後の性別移行を進めていったのだから。

そんなわけで結果的にはうまくいったのだが、それでもカミングアウトは簡単ではなかった。母に打ち明けようとしたときには、「お母さん、話したいことがあるんだけど」と言って、でもそのあとがどうしても出てこなくて、隙間を埋めるようにして延々とお茶を飲んでいたように思う。そのあとのふたりに対しても、なかなか言葉が出てこない時間がずいぶんとあった。「話したいことがある」といった時点でもうあとには退けないにもかかわらず、どうにか誤魔化して別の話にできないか、などとも考えた。だって、カミングアウトには世界の命運がかかっていて、このまま突き進んで失敗したら世界が終わってしまうのだから……。

なぜカミングアウトはこんなにも困難に感じられるのだろうか？　なぜカミングアウトは世界の命運がかかっていると感じられるような重大な行為になるのだろうか？　ただ自分が性別移行をすることを伝えるだけなのに。大した長さの言葉でさえないのに。当時のことを振り返るとき、言語哲学者としての現在の私はそこが気になってしまう。いったいカミングアウトという言語的な振る舞いはなぜこんなにもやりづらいのだろう？　この難しさは、どうも私だけが感じていることではなく、カミングアウトをしたことがあるひとと語り合うと、だいたいのひとが同じような経験をしているようだ。

カミングアウトについての言語哲学や言語学での研究というのはあまり多くないが、デボラ・A・チリー（Deborah A. Chirrey）という社会言語学者に、カミングアウトを言語行為論的な観点から取り上げる研究がある。

言語行為論についてはこれまでも頻繁に取り上げているが、これは哲学者ジョン・L・オースティン（John L. Austin）に由来するアイデアで、言語を抽象的な記号体系として考えるのではなく、私たちがそれを用いてどういった行為をおこなっているのかという見方から捉えるものだ。「大阪では雨が降っている」という文を考えてみよう。オースティン以前の哲学者であれば、この文を見たら「大阪」という言葉がどういった対象を指示しているか、「雨が降っている」は何を表していて、「大阪では雨が降っている」という文は全体としてどのように世界の出来事と結びついているのかといったことを考えて、言語と世界の関係を理解しようとしただろう。だが、「大阪では雨が降っている」という文はそうした単なるラベルのようなものではなく、これを発話することで話し手はあるときには主張をおこなったり、報告をしたり、説得をしたり、いろいろな行為をおこなっている。このように言語を用いてなされる行為が言語行為であり、それにはどういった種類のものがあって、それぞれどういった条件のもとで成り立っているのか、といったことを分析していくのが、言語行為論だ。

言語行為論のなかで特に注目されるのは発語内行為というものである。私が大阪のライブカメラを見て天気を確認し、バイクで大阪に出発しようとしている友人に向けて「大阪では雨が降っているよ」と声をかけ、バイクでの移動を断念させようとしたとしよう。私は「大阪では雨が降っているよ」のひとことで、いろいろな行為をしている。まずこの言葉を声に出して投げかけるという行為をしているし、それは「報告する」という別の行為の一部となってもいる。またさらに、私の報告を受けた友人がバイクの移動はやめようと思ったなら、私は説得という行為もしたことになる。言葉を発話する行為そのものを発語行為、そのときに私がおこなっている「報告」のような行為を発語内行為、私の発言が聞き手や自分自身に結果的にどういう影響を与えたか、あるいは与えることを目指していたかという観点から捉えられる「説得」のような行為を発語媒介行為と言う。現状、言語行為の研究はほとんどもっぱら発語内行為を対象としている。

さて、チリーは二〇〇三年の『社会言語学ジャーナル』(*Journal of Sociolinguistics*) の7巻第1号に掲載された「『私はこれによってカムアウトする』:カミングアウトはいかなる種類の言語行為か?」("'I Hereby Come Out': What Sort of Speech Act Is Coming Out?") という論文で、カミングアウトが発語行為として、また発語内行為や発語媒介行為としてどういった装いのもとで現れるかを論じている。特に発語内行為については、カミングアウトが複数の行為にまたがる特徴を持つとされているのが興味深い。

カミングアウトは第一に、それによって自身のことを主張したり、開示したりする行為だとされている。例えば話し手がゲイであるとすると、カミングアウトによってこの話し手は、自分がゲイであるという事実を聞き手に伝えたり、訴えたり、打ち明けたりしている、ということになる。まず事実があり、それを伝達している、という見方だ。これは一般的なカミングアウトの理解と一致した、わかりやすい話かと思う。

もうひとつの特徴が重要で、チリーはカミングアウトが宣言の一種でもありうるとしている。宣言というのは言語行為論において、ある種の創造的な面を持つ言語行為とされている。例えば、審判が選手の反則を宣言した場面を考えるとわかりやすい。一般的に審判は反則という行為が客観的に成立しているのを観察してそれを報告しているというわけではなく、むしろ審判が反則を宣言したときに初めて当該の行為がその試合において反則として扱われるようになるはずだ。こんなふうに、宣言というのは何かしら新しい事実を作りだす発語内行為である。

チリーの考えでは、カミングアウトにはそれまでの現状を取り下げ、新しい世界観を代わりに構築するという側面がある。私が両親や弟にカミングアウトをしたとき、私はシスジェンダーの男性と見なされ、そのように暮らしていたこれまでの状況を取り下げるとともに、自分がトランスジェンダーであり、かつ男性ではない人間として生きる新しい世界観を作り上げようとしていた。少なくともチリーはカミングアウトをそのように捉えているようで、その意味でカミングアウトは新たな社会的事実を作りだす宣言の一種だと言うのである。

どちらの話も、わかるような気がする。確かに一方ではカミングアウトはこれまで打ち明けていなかった何かしらの事実を開示したり、訴えたりといった行為であるように思えるし、また他方でそれによって「これまでとは違う見方のもとで私や私を取り囲む物事を見ることを望みます！」という宣言をしているようにも思える。ただ、これだけではあの独特の口にしづらさは、あまり説明されている気がしない。実際、苦手な食べ物を打ち明けたり、審判となって反則を取ったりするのは、それによって世界が一変するような行為ではないはずだ。だから気になるのは、なぜカミングアウトはほかの主張や宣言と違って、特に世界を一変させるようなものとして経験されるのかだ。

もしかしたら、発語内行為を可能にする条件が関わってくるのかもしれない。発語内行為はたいていの場合、誰もがいつでも自由におこなえるようなものではない。例えばスポーツの試合で反則を取れるのは、きちんと認められている審判が適切な手続きに則って発話をおこなう場合だけであって、審判でも何でもないひとがいきなり「反則！」と声を上げても反則は取れないし、審判であっても不適切なやり方であったなら、それは成り立たない（サッカーの試合でイエローカードでもレッドカードでもない手作りのパープルカードを掲げて反則を取ろうとする、とか）。主張などの行為もそうで、例えば自分が知りもしないし、また知りもしないと周囲にもバレていることを主張しようとしたところで、主張という行為が本当に成立したとは見なせない。

あのカミングアウトのとき、ひょっとしたらある意味で私は自分が男性ではないと主張したり、自分をこれまでとは別の存在として宣言したりできる立場になかったのかもしれない。私にはそのときまでに培われた三〇年前後の文脈の蓄積があった。両親や弟と話すとき、学校での会話、その他の場面でのやり取り。生まれてすぐのころから私はずっと男性として扱われてきたし、そしてそれまでずっと、自分でもときに困惑したり、うまく言葉が選べなかったりしつつも、とりあえずはそれに合わせてやってきていた。だからきっと、私と周囲のひとたちのあいだには、私が男性であると想定するような文脈が長い年月をかけて積みあがっていた。その想定のもとでは、周囲の人間も私を男性だと見ているし、私自身もそのように理解していることになっているし、そして私がそのように理解していると周りも思っている。そんななかで「私は男性ではない」と述べたところで、それはちょうど知りもしないことを主張するのと同じようなことになってしまうのではないか。だからこそしばしば、こうした訴えは本当の訴えではなく、例えばそれ以外の精神的な苦痛の婉曲な訴えだと解釈されたりするのではないか。

　そしてたぶん、私は新しい現実を構築するような宣言をできる立場にもなかったのだと思う。だって、私がそれまで生きてきた世界では、トランスジェンダーなんてまるでいないように想定されていたのだから。トランスジェンダーという存在がすでに前提とされているなら、「これまでシスジェンダーだと思っていましたが、実はそうではなさそうです」と伝えることによって、自分がシスジェンダーである世界から自分がトランスジェンダーである世界へのシフトを宣言することもできたかもしれない。でも、私がずっと生きてきた世界はそういうものではなかった。「私は火星人だ」といくら宣言しようとしても火星人がいると想定されていない文脈では有効な宣言とならないのと同じように、トランスジェンダーの存在がそもそも想定されていない文脈では自分を男性ではないものとして世界に位置づけるような宣言を私がしても、きっと効力を持たない。それはちょうど、観客席から飛び出して、それまで誰も反則だと思ってもいなかった行為に反則を宣言しようとするようなものなのだ。

カミングアウトがなされるまで、たいていのひとはきっとシスジェンダーでヘテロセクシュアルであることが当たり前の世界で、シスジェンダーでヘテロセクシュアルな人間と見なされて、それに合わせた会話をし、それに合わせた文脈を作り上げてきているだろう。そんななかでのカミングアウトは、「嘘だとわかっている」ことを主張したり、権利もない観客が反則を宣言したりするような行為になってしまう。それが、カミングアウトを難しくしている言語的な要因なのではないだろうか。仮に審判に不満を抱いたとしても、観客席からフィールドに飛び出して自ら反則を宣言しようなどと思うひとがほとんどいないことからもわかるように、そうした行為は容易にできることではなく、かなりの覚悟を持って初めてなされうるものだ。でも、私たちがカミングアウトをするときには、それをしなければならない。そうでないと、私たちは自分がシスジェンダーでヘテロセクシュアルな人間だと想定され続けるし、それどころか人間は基本的にシスジェンダーでヘテロセクシュアルであるものなのだという前提を持つ文脈から逃れることもできない。

カミングアウトにまるで世界の命運がかかっているかのように感じられるのも、このためかもしれない。カミングアウトを受け取った相手がそれを真剣に受け止めるとき、これまでの膨大な文脈はまるごと解体されることになる。そうしなければ、私のカミングアウトは私にとってする権利のない発語内行為になってしまうからだ。そして私とその相手は、もう一度そうした文脈がないところからやり取りを始める。これはもう、私と相手がこれまで生きてきた世界をいちど突き崩し、新しい世界を作り直すようなことだ。カミングアウトを相手がきちんと受け取ってくれたなら、これまでの常識が通用しない世界を一緒に作っていける。でもそうでなかったら、私たちはもとの世界に残り続けることになる。もちろん実際にはカミングアウトは必ずしもそんなイチかバチかの代物ではなく、初めは受け止められなかったひとが徐々に受け止めるようになっていくなどのプロセスがあるものなのだが、とはいえそんなことを知りもしない初めてのカミングアウトのとき、私にはまさに世界の再創造の是非がそこにかかっていると感じられたのだろう。

私が前著で別種のカミングアウトをしたときにも、似たような感覚だった気がする。家族や友人に「これから性別移行をする」というカミングアウトを済ませ、諸々のプロセスを経て、だんだんと私は普通に女性として暮らすようになっていた。でもそうすると、多くの場面で今度はシスジェンダーの女性として扱われることになった。もちろん、トランスジェンダーだと気づくひとは気づくのだが、気づいていないように見えるひとは想像していたよりずっと多かった。私も私で、生存戦略としてシスジェンダーであるかのように振る舞おうとしていた。でもそうして新たに作り上げられた文脈では、今度はトランスジェンダーとしての経験について語るのが難しくなってしまった。だから私は、改めて今度は自分がトランスジェンダーであるとカミングアウトをした。移行前のカミングアウトと移行後のカミングアウトは、いろいろな点でだいぶん性質の違うものだけれど、それでもその言い出しにくさと、世界がかけられているような感覚は変わらない。

性別移行をし、その生活に慣れてきたあとの状況は、それ自体としてはそこまで苦しいものではなかった。性別違和も解消されているし、シスジェンダーとして見られていればたいていのことはスムーズにいく。だからそれで満足するひとも多いと思う。でも、私はそうではなかった。シスジェンダーの女性であるかのように扱われることが当たり前になればなるほど、自分のことが話しにくくなってしまった。本当に自分自身でいられていないない、とも感じていた。だからたぶん私が本当に自分自身として語りだすためには、もう一度カミングアウトをし、改めて世界を作り直す必要があったのだろう。一度目は男性でない存在として、二度目はシスジェンダーでない存在として、文脈を、世界を作り直して、そしてようやくいま私は、ここでこうして私自身の言葉を語っている。

ぐねぐねと進む

最近、矛盾が気になっている。といっても、嘘つきパラドックスやらラッセルのパラドックスやら、そういったいかにも哲学らしい問題のことではない。興味があるのは、ひとりのひとが相反する考えを、それらが互いに矛盾していると知りながら、それでもなお抱え続けるような状況だ。

きっかけは高島鈴さんの『布団の中から蜂起せよ——アナーカ・フェミニズムのための断章』（人文書院）を読んだことだった。高島さんはアナーカ・フェミニストという立場を打ち出し、さまざまな媒体でアナーキストとして、そしてフェミニストとしてエッセイや論考を執筆している。この本はそんな高島さんが書いてきたエッセイのなかからいくつかをピックアップして一冊にまとめたものだ。

面白いのは、この本ではいくつかの箇所で書いてあることに矛盾が生じていて、そしてそれを高島さん自身も認めているという点だ。いや、「認めている」と言うとしぶしぶ認めたかのような消極的なニュアンスを感じるかもしれないが、高島さんはむしろ自らの矛盾を積極的に表明している。

「現象になりたい」と題された章では、性別やセクシュアリティなどに関して特定のカテゴリー（「女性である」とか）のもとで人間が固定されることへの違和感が語られていて、あらゆる瞬間に常にうつりかわっている「現象」になろうではないか、そのようなものとして互いに向き合おうではないかと呼び掛ける。その一方で、「私は書かなくてはならない」と題された章では、自分自身のセクシュアリティについて具体的なカテゴリーのもとで語り、そしてそれを言葉にしなければならなかったのだと説明する。

「現象になりたい」が二〇一九年に書かれたエッセイで、「私は書かなくてはならない」が二〇二二年のものなので、一見すると、この三年間で何かしら考えの変化が起きただけにも思える。以前はカテゴリーに当てはめた語りを望ましく思っていなかったけれど、いまはそうした語りも必要だと考えている、というように。けれども高島さんは「私は書かなくてはならない」への追記で、「だがそれは単純な「時間が経ったがゆえの生き方の変化」ではない。この矛盾は今も私が抱え込んでいるものだ」と書き加えている（三八頁）。わざわざ、自分自身の矛盾を積極的に語っているのである。

『布団の中から蜂起せよ』はいろんな点で鮮烈な本だが、私には矛盾する自分をはっきり表に出すこうした態度がとりわけ印象的で魅力的に思えて、二〇二二年末に高島さんと対談する機会をいただいたときにも、そのことを話したりしたのだった。

そんなこんなで、いま私は矛盾について考えている。特に、ひとが矛盾を抱えながら生きるということについて、そしてそれがどうして私にとって魅力的に見えるのかについて。

哲学では昔から、人間は理性的動物だと言われる。理性に基づいた判断をおこない、それに導かれてさまざまな行為をする。それが人間なのだ、と。もちろん哲学者ごとにこのあたりの説明についてはばらつきがあるだろうが、大雑把に言えば、理性に基づいた判断というのは、行為をする際にきちんとそれをすべき理由について考えて、十分な理由のある行為をしようとする、といったことだ。

私が血液検査を受けた結果、中性脂肪の値が高すぎて心配になったとしよう。心配なものだから、次に検査を受けるときまでには中性脂肪の値をいまより下げておきたいと私は考える。さらに、運動をすれば中性脂肪の値が下がると私は思っているとする。このとき、私には運動をするのに十分な理由があると判断できる。その判断に従って私が運動を始めたら、それは理性的な振る舞いだろう。運動をすべき理由についてきちんと考えて、十分な理由があると判断したうえで運動をしているのだから。そんなわけで理性的な動物である私は、このところ毎日のようにエアロバイクをせっせと漕いでいる（少し前に受けた検査で実際に中性脂肪の値が高かったのだ）。

だが、これが理性的な振る舞いなのだとしたら、たいていの人間は実はそこまで理性的ではない。私は、甘いものを控えるのが中性脂肪の値を抑えるのに寄与すると思っているのに、甘いものを控えられずにいる（ちょっとは減らしているけれど……）。実際、甘いものを控える十分な理由があると判断しているにもかかわらず、私はきょうも最近お気に入りの苺ソースがたっぷりかかったわらび餅のコンビニスイーツを食べてしまった。これは、すべき理由のない行為であるし、それどころかそれをしないほうがいいと考える強い理由がある行為であって、それなのにそんなことをしてしまうのは不合理というほかない。

こうした不合理性はしばしば「意志の弱さ」と呼ばれていて、ずっと昔から哲学者たちの頭を悩ませる問題のひとつとなっている。なぜ、甘いものを控えるのがよいという判断がなされつつ、それとは正反対に甘いものを控えずに食べるという行為がなされうるのか？　本当に甘いものを控えるのがよいと判断しているならば、否応なしにそうするはずではないのか？　これがどのくらい古くからの問題かというと、「意志の弱さ」を表す古代ギリシア語の「アクラシア」という言葉がいまだに哲学業界では現役で用いられているほどで、紀元前から現代にいたるまで延々とこの問題が論じられてきたことがわかる。

とはいえ、それでもなお理性は多くの哲学者が人間について考えるときの重要な立脚点であり続けている。というより、理性を重視しているからこそ、人間が理性的でない可能性を示す意志の弱さの事例が注目されるのだろう。

私がよく言及するポール・グライス（Paul Grice）という哲学者も、理性を重視する哲学者のひとりだ。グライスによれば理性とは推論を構築して物事にその理由を与える能力である。これは二〇〇一年にオックスフォード大学出版から出た『理性の諸相』（*Aspects of Reason*）という著作で述べられている見解だ。また一九九一年に同じ出版社から出された『価値の構想』（*The Conception of Value*）では、人間の行為と心理もまた推論をもとにして関係づけられていると述べられている。

例えば私の目の前に紅茶があり、私がその紅茶を飲んだとする。ここには「三木那由他の目の前に紅茶がある」と「三木那由他が紅茶を飲む」というふたつの事態があるが、前者からなぜ後者が生じることになったのだろうか？　ここで登場するのが心理である。「三木那由他の目の前に紅茶がある」に「三木那由他は喉を潤したい」、「三木那由他は紅茶を飲めば喉が潤うと思っている」、……などの私の心理に関する前提を付け足すと、目の前に紅茶があるというその場面でなぜ私がその紅茶を飲んだのかを説明するような推論を構築することができる。グライスは、私たちは他人の心理について、それどころか自分の心理についても、このようにして理解しているのだと考えた。

もしもひとの心理の理解がこのように推論に基づいているなら、矛盾や不合理が生じてしまっては困る。もしも「三木那由他は喉を潤したい」と「三木那由他は喉を潤したくない」が同時に成り立つようなことがありえてしまったら、「三木那由他は喉を潤したい」が正しいからといって、それをもとに私が紅茶を飲んだという事態を説明できるとは限らなくなってしまう。だって、私はそのとき喉を潤したくなんてなかった可能性もあることになるのだから。そうなると、もはやひとの心理と行為とをまともに結びつけることもできなくなってしまって、推論をもとにひとの心理を理解するということ自体が意味をなさなくなるだろう。

グライスとまったく同じ考えではないにせよ、少なからぬ哲学者が似たような仕方で、心理の理解には心理の帰属先となっているひとが理性的であるという前提が必要だと捉えている。例えば言語哲学者のドナルド・デイヴィドソン（Donald Davidson）なども折に触れてそういったアイデアを語っており、その観点から意志の弱さの問題に取り組んでいる。

でも、本当に私たちは理性を前提としないと他者を、さらには自分のことも理解できないのだろうか？　理性というのは、そんなにもひととひととの交流において大事なものなのだろうか？　非理性的な振る舞いは例外的で解決すべき哲学的パズルにすぎないのだろうか？　たぶん私は、そこに引っかかりを覚えている。むしろ理性から外れたところにこそ、理解の鍵があるのではないか？

率直に言って、漫画や小説を読んでいるとき、登場人物が理性的に振る舞う場面よりも、理性的でない振る舞いをする場面に魅力を感じる傾向が、私にはあるように思う。例えば、強大な力を持つ悪党（ヴィラン）が暴れるなか、何の力も持たない子どもが、何もかも警察やヒーローに任せて自分は逃げるという選択が正しいはずだとわかっていながら、それでも倒れたヒーローを守ろうととっさに悪党（ヴィラン）の前に飛び出す。そんなことをしても何にもならないとわかりながらも危険に身をさらすその振る舞いは、はっきり言って不合理だ。でも、だからこそその姿が、私にはとても魅力的に思える。

職務に忠実な刑事が、顔なじみの私立探偵から情報提供を求められる。刑事は部外者に情報を漏らしてはならないということを理解している。他方で、私立探偵に情報を提供することが事件解決への近道だとも知っている。職務意識においては情報を伏せるのが最善であると判断し、かつ同時に、事件解決のためには情報を提供するのが最善であるとも判断しているなら、その刑事は矛盾を抱えている。そしてその矛盾を抱えながら、「部外者に情報を教えるわけにはいかない。だが、少し煙草でも吸ってこようと思う」などと言って席を立ち、自分が席を立っているあいだに捜査資料を覗き見するようそれとなく探偵に促すといった振る舞いをする。情報を伏せる場合と与える場合を比較して一方が望ましいと考える理由など刑事にはまったくないにもかかわらずこうした振る舞いをしたのだとしたら、むしろ私にはその刑事の人格が伝わってくるように思える。

なぜ私はこうした人々に魅力を感じるのだろう？　十分な理由もなしに行為をする不合理なひとたちなのに。いや、むしろ十分な理由もなしに行為を選択する、そのときの決断や直感に、私はそのひとたちの人間性を見ているのではないか？

矛盾する気持ちや矛盾する考えを抱え、しかもそのいずれを優先する理由もはっきりとは得られないというときがある。先ほどの例の刑事には、情報を伏せることと情報を提供することのうち一方を選ぶ強い理由は何もなかった。それでも、無理やり遠回しな表現を利用してまで、刑事は情報を提供することを選んだ。それはきっと、十分な理由があるからそうしたというのではなくて、理由はなくてもこうしようという決断や、根拠のない直感によって促された行為なのだろう。そして、理由が得られないのにそれでもその場面で情報を提供することを決断するというのが、その刑事という人物なのだ。危険に身をさらす子どもの例も同様で、そんなことをすべき理由は何もないとわかっているのに、とっさに身を挺して自分よりも強いヒーローをかばう。その直感に私たちは次世代のヒーローとなる者の姿を見出すのだろう。「そうすべき十分な理由があると判断したから身を挺してかばう」では、理性的ではあるかもしれないが、ヒーロー的ではない。

考えてみれば、理由があってそれを選ぶというのは、理性的であるなら誰でもするはずのことであって、その意味でそのひとに固有の何かではないように思える。だから逆に、理由もないのに何かを選ぶというところにこそ、そのひとにしかない何かが見出されるのだろう。私はきっと、そうしたものを拾い集めるようにしてひとりの人物の人間性を理解しているのだ。理性を前提としないとひとを理解できないどころか、非理性的な振る舞いこそがひとの人間性を映し出す鏡となっているのではないか。

実のところ、これまでに語ってきたようなドラマティックな場面だけでなく、日常においても、理由がないままでなされる決断はよく見られる。Aさんと出かける約束をした日にうっかりしてBさんとも出かける約束をしてしまった。どちらも私にとっては大事な友人で、しかも同じくらいの時期にした約束だったものだから、一方を他方より優先する理由は何もないとする。そのとき、私はAさんと出かけるのか、Bさんと出かけるのか、どちらとも出かけないのか、決断しなければならない。どうするのがよいかわからないまま、約束の日は近づいてくる。理由など見つからずとも、約束の日までにはどれかを選ぶことになる。そこでなされる選択は、きっと私の性格や人間性を反映するだろう。一度きりのダブルブッキングなら、あくまで一回限りの矛盾であって、だから一回の決断がなされるだけで終わる。けれど矛盾を抱えながらずっと生きるひとは、さまざまな場面で相矛盾するふたつの考えの一方を理由もなしに選ばなければならない。それは理由もなしになされる決断だから、きっとそのたびごとに異なるだろうし、結果的にそのひとの行動自体も一貫性のないものになったりするだろう。例に出した刑事も、ある事件では情報を提供し、別の事件では何を言われても頑として断り、全体としては一貫しない行動を取っていてもおかしくない。でも、そうした一貫性のない決断が織りなしていく軌跡こそが、きっとそのひとという人間なのだ。

高島さんがある場所ではカテゴリーによる固定化への疑念を表明し、別の場所では自らのセクシュアリティを明確なカテゴリーのもとで語るとき、私はそのそれぞれで異なる決断がなされたのだと認識し、そしてそうした異なる決断をするという点に高島さんという人間の一側面を見たのだと思う。だからこそ、『布団の中から蜂起せよ』は私にとって印象的で、魅力的な本だったのだろう。

誰もが高島さんのように率直に自分の矛盾を語るわけではない。それでも、私たちの多くは、矛盾を抱え、あちこちで理由のない決断をして生きているのではないだろうか。そして私は、それぞれのひとが織りなす一貫性のないぐねぐねと曲がりくねった軌跡が重なり合うこの世界を、とても愛おしく思うのだ。

安全な場所
——『作りたい女と食べたい女』

料理をする女性がいる。大盛りの牛腩飯、山のようなオムライス、バケツプリン……。そしてそれを、大きく口を開けてがつがつと食べる女性がいる。そのなんてこともない光景が、どうしてこんなに幸せなのだろう。

ゆざきさかおみによる『作りたい女と食べたい女』は、二〇二一年からComicWalkerで連載されているWEB漫画だ。いまもだいたい二、三週間に一度くらいの頻度で更新が続いている。[*]連載をまとめたコミックスも発売されていて、そちらは現在四巻まで出ている。二〇二二年の一一月にはNHKでドラマ化もされて、何かと話題になっている作品だ。ファンたちは愛情を込めて

ゆざきさかおみ
『作りたい女と食べたい女』
(KADOKAWA)

『つくたべ』と略して呼んでいる。

『つくたべ』は、野本さんと春日さんというふたりの女性を中心とした作品だ。野本さんは料理が好きで、とりわけデカ盛りであったり、大量であったり、とにかく大きなご飯を作りたいと思っている。けれど自分自身は小食で、だからその希望を叶えられずにいる。ある日そんな野本さんが、隣の隣に住んでいる春日さんとエレベーターで乗り合わせる。春日さんは両手にフライドチキンのバーレルをいくつも持っていた。なんとそれを全部ひとりで食べるのだという。それがきっかけで春日さんを意識するようになった野本さんは、ストレスからうっかり自分では食べきれない量のご飯を作ってしまったある夜に、春日さんを食事に招くことを思いつく。こうして始まる作りたい女と食べたい女の交流と恋愛が、『つくたべ』の主軸をなしている。

そう、「恋愛」だ。本作はある種のグルメ漫画でありつつ、それと同時に、著者自身もたびたび明言しているように、野本さんと春日さんというふたりのレズビアンの女性が出会い、恋をするガールズラブストーリーでもある。私がもともとこの作品を知ったのも、レズビアンの女性たちを中心に、クィアな人々がSNS上で話題にしていたのがきっかけだった。そしてこのことは、私が『つくたべ』に感じる魅力とも無関係ではないように思う。私は野本さんと春日さんというふたりのレズビアンの女性が囲む食卓を「安全な場所」だと感じていて、何よりもそのことに惹かれているのだ。

哲学者のサラ・アーメッドは、『クィア現象学』という著書のなかで、ある食卓の風景を記述している。

そういうわけで、私はテーブルの席につく。それはダイニングテーブルで、家族はその周りに集まる。このテーブルは、家族の団欒の舞台を与える。食事をしたり、しゃべったり、家族でおこなう作業をしたり。身体へと向けられた家庭内の作業として。姉のひとことが、私をこんなふうに家庭に安住しているモードから引き戻す。彼女は言う。「見て、ちびジョンとちびマークがいる！」彼女は指差し、笑う。ジョンとマークというのは私の姉妹たちのパートナー、つまりはそこにいる子どもたちの父親の名前だ。私たちが振り返ると、そこにいる男の子たちが父親の小さいバージョンに見える。(Sara Ahmed, *Queer Phenomenology*, Duke University Press, 2006, p. 81)

普通の、楽しげな家族のひとときであるように見える。そしてそれはその通りなのだ。けれど、アーメッドはこうしたありふれた団欒がいかに特定の「方向性」を持っているかに着目する。

男の子たちを「ちびジョンとちびマーク」と語るとき、父から息子へとつながるひとつの流れが想定されている。父親の小さな似姿である息子は、やがて自らも父親となり、自分のちびバージョンである息子を持つだろう、と。そしてやがて父親になると思い描かれているときには、その子が異性愛者であり、女性と結ばれるということがすでに含みこまれている。アーメッドはここに、身体のありかたとジェンダーと性的指向をひと揃いのものとする力学が働いている様子を見出す。家族の食卓は、ただの無色透明な団欒の場所ではなく、そうした特定の方向性を持ち、一定の力が作用する場所なのだ。

そうした場所で、私たちは繰り返しその方向性を語られ、実演され、そしてそれに沿って生きるよう求められる。それとは異なる方向へと進もうとすれば、咎められたり、やんわりと否定されたり、ときにはそれを治療の対象とされたりして、私たちは可能な限りその方向性へと矯正される。何気ない食卓のやり取りが、私たちを繰り返しシスジェンダーに、異性愛者に、そして周囲が判断する性別に相応しい振る舞いをする者にしていく。逆に言えば、クィアであるとはそうした周囲の方向性とは違うほうを向き、そちらへ進んでいくことなのだ。

『つくたべ』の作中では、春日さんの実家での食卓の描写がある。

> 私の実家　不出来なものや小さいものは母や私の分で　父や長男だけおかずが多いとか　そういう家だったんです　…私の　帰らない理由です（二巻二八頁）

ずっと空腹を抱える春日さんは、夜中のキッチンでひとりトーストを焼きようやく腹を満たせたとも語られている。またのちに父親からの電話を受けた春日さんは、「結婚どころか彼氏のひとりもいない」ことをなじられ、祖母の介護をする母を「楽させてや」るために地元に帰って介護をするよう言われ、家から出てひとりで暮らしていることを「親不孝」と責められる（三巻一二五－一三五頁）。想像するに、たぶん春日さんはこんなふうに攻撃されたりしない、はたから見るとまったくもって平和な食事の時間においても、実家のその食卓で示される方向性からはずれていて、それゆえに常に矯正の圧力を受け続けていたのではないだろうか。たくさん食べたいことについて、家庭内のケア労働について、そしてもちろん、女性を愛することについて。

野本さんについてはそこまで描写は多くないのだが、にこやかに始まった電話でのやり取りのなかで母親が「休日会うようなひとができたの！　どんな男のひと？」と訊き、野本さんが「女のひとだよ！」と返すや「なんだ　ただ友だちと会うだけか」と言ってくるあたりに（一巻一四〇－一四一頁）、これまで過ごしてきた食卓の風景が想像できそうに思う。そして食卓が持つそうした方向性は、必ずしもはっきりと交際や結婚の話が出るときだけにあらわになるものではないだろう。祖父母の話をするとき、野本さんの（春日さんの、私たちの）子ども時代の思い出が語られるとき、テレビを見ているとき、近所の出来事についてしゃべるとき、そこにはいつだって方向性がある。

でもふたりはいま、自分に合わない方向性を持った食卓を離れ、読者の目の前で、ふたりの食卓を作り上げている。それはこの社会の多くの食卓とは別の方向性を持った食卓だ。成人した女性がふたりで囲み、思う存分に作って思う存分に食べ、そして恋をする食卓だ。だからそれは、クィアな食卓なのだと思う。

『つくたべ』の主人公は野本さんと春日さんのふたりだが、話が進むにつれて、新しいキャラクターが加わる。作らない矢子さん、食べられない南雲さんだ。矢子さんはレズビアンでアセクシュアルだと語られていて、南雲さんは作中でセクシュアリティに関する言及はないものの、著者のゆざきはクエスチョニングフラッグを持った南雲さんのイラストを二〇二二年のプライド月間に公開している。この人々は、もちろんそれぞれにとても違う。とても違うのだけれど、野本さんと春日さんの囲む食卓を自然に囲むことができる。それはたぶん、この社会の多くの食卓とは異なる方向性を持つクィアな食卓をふたりが作り上げているからなのだろう。

『つくたべ』を読んでいると、私もこの食卓に加わりたいと思う。私にとっても多くの食卓はあまり居心地のいいものではないのだ。例えば、外食でカフェやレストランに行ったとき。私の外見はたぶんいくらかアンビギュアスで、だからカップルが多いお店では、一緒にいる相手が男性的な外見をしているか女性的な外見をしているかで勝手に異なる解釈をされることがある。あるときには度数が低かったり甘かったりするお酒は私の前に置かれ（私は弱いお酒は好きではないのだけれど）、会計のときには相手に金額が伝えられる。でもあるときにはそれと逆のことが起こる。一緒にいる相手が私にとってどのような関係のひとであろうと関係なく、異性愛カップルが支配的な食事の場において、私たちは異性愛的な方向性に合わせられ、そして私の外見的な多義性がそのために都合よく利用される。もちろんそれと意識したうえでのことではないだろうけれど。それでも、勝手にその場の方向性に合わせられてしまうことに変わりはない。

厳密にいえば、『つくたべ』に出てくる登場人物たちは、私にそれほど似ているわけではない。私は現時点で認識している限りでは、トランスジェンダーで、セクシュアリティにおいてクエスチョニングで、パンロマンティックで、作るのも食べるのも興味があんまり強くないけど食べるときにはばくばく食べる女性だ。私はそもそもシスジェンダーのひとについては「どういう気持ちなのかよくわからない」と感じるところが強いのもあって、『つくたべ』の登場人物の誰かに自己投影することはいまのところあまりない。それでも私は、野本さんと春日さんの囲むこの食卓が、きっと私にとっても安心できる場所であるはずだと思うのだ。多くの居心地の悪い食卓を経験してきたからこそ、「ここなら気負いなく過ごせそう」だと感じるのだろう。

『つくたべ』は、「安全な場所」と呼べるものの、ひとつのイメージを私に見せてくれる。だからこそ私にとっては、ただふたりが食卓を囲む、なんてことのない光景がこんなにも幸福なのだ。私は、私たちは、たぶんずっと、なんてことなく当たり前に食卓を囲みたかったのだろう。野本さんと春日さんのように。

野本さんと春日さんが作る食卓の光景の素晴らしさについて語ってきたが、もちろん『つくたべ』の魅力はそれだけではない。というより、私は友人などと『つくたべ』の良さについて語り合うときにはそれとはまったく別の話をすることが多い。何かと言うと、春日さんの圧倒的な可愛さだ。何といっても、大きくて無表情なところが良い。漫画のなかの女性としては珍しい造形ではないかと思う。そして無表情な春日さんが無表情なままで、美味しいご飯に勢いよくがっついたり、素敵な料理のアイデアをひらめく野本さんに「天才ですか」と言ってはしゃいだりしているさまがたまらないのだ（「天才ですか」は本作にやたらと頻出する台詞で、日常でも真似したくなる）。ふたりの恋愛も、自分がレズビアンだと明確には認識していなかった野本さんにとってはまずそうした自覚に至るところから始めなければならず、とてもゆっくりとしたペースで、だからこそ一緒に隣を歩くようにして見守り続けたくなる。

　だから、私がここで語った「安全な場所」としての魅力は、私にとってはとても大きいものではあるけれど、たくさんある『つくたべ』への入り口のひとつに過ぎない。キャラクターに惹かれて読むひとも、ふたりの恋愛の行く末が気になって読むひともいるだろう。それでも、私は「安全な場所」を、安らげる食卓を持てずにいる人々に向けて語りたいと思う。もしかしたら、ここにあなたにとってのそれがあるかもしれない、と。

＊　二〇二三年六月二三日の更新時に休載の告知があり、二〇二三年八月現在は休載中。

命題を背負う

ＧＬＡＹが好きだ。メジャーデビューから現在まで三〇年近く活躍し続けている、ロックバンドのＧＬＡＹだ。

聴くようになったのは中学生のころで、当時は「SOUL LOVE」と「誘惑」というふたつのシングルが同時に発売されて各種チャートで一位と二位に並んだりしていた。それだけでなく、約二〇万人もの観客を集めた大規模なライブをおこなったり、体力を要するオールナイトライブに八万人も集まったりと、とにかく常に話題になっているようなとんでもない人気を誇るバンドだった。そのころから二〇年以上経ち、いまもＧＬＡＹは以前ほど派手ではないものの、だからこそむしろのびのびと活躍し、コンスタントに新曲を発表している。私も私でライブに行き、「ＧＬＡＹチョップ」と称される独特の身振りをしながら体を揺らしたり、相変わらず仲良しな四人の様子に微笑んだり（ＴＡＫＵＲＯのことをほかのメンバーが嬉しそうに「リーダー」と呼んだりするのがとても好きだ）、新しく出たアルバムを聴きながら出勤したりしている。

　とはいえ、私はずっと休みなくGLAYを追いかけ続けていたわけではなく、いちど聴くのをやめて、それどころかファンであることを隠していた時期がある。だいたい大学に入学してから一〇年ほどのあいだのことだ。きっかけは、友人が「GLAYを好きなのは女だけだ」などと言っているのを聞いたためだった。

　当時の私は自分の抱える性別違和をいくらかはっきりと意識しつつ、「大丈夫、克服できる。だいたい大学に入学したばかりのころから一〇年ほどのあいだのことだ。きっかけはがんばれば『男』をやれる」と思っているところだった。トランジションの経験のないひとはピンと来ないかもしれないが、トランジションをするひとの多くは、まずは周りが期待する性別になろうと努力して、その努力がどうがんばっても失敗に終わるということを学んだ結果、自分がその性別の人間ではないという事実を受け入れ、それからようやくトランジションを試みるようになる。当時まだ周囲の期待通りに「男」になろうとがんばっていた私は、自分がもともと好きなものも、自分にとって自然な振る舞いも、全部抑え込んで、周囲のひとたちに「うむ、これなら確かに『男』だ」と認めてもらえるよう励まなければならないと思っていた。そしてGLAYを好むのが女性的なことならば（もちろんそれ自体偏見なのだけど）、私はGLAYを好んではならなかったのだ。

私が再びＧＬＡＹを自分の望むままに聴き、堂々と好きだと言えるようになるには、トランジションが、いやそれ以上に私が「女性的」な言動をすると周囲のひとに気持ち悪がられてしまうという強迫観念を解きほぐすことが必要だった。だから、こんなふうに「ＧＬＡＹが好きだ」なんて誇らしげに語れるようになったのはつい最近のことだ。

そんなわけで私のＧＬＡＹファンとしての歴史には一〇年くらいのギャップがある。そしてそのギャップを挟んだ結果、中学時代に好きだったＧＬＡＹの曲を改めて聴いたときに、思いがけぬ自分の変化に驚くことになってしまった。何かというと、そのギャップの時期に学んだ哲学の知識が、歌詞を味わおうとするときに顔を出して邪魔をしてくるのである。

ＧＬＡＹが一九九八年に出した『pure soul』というアルバムがある。中学時代の私にとって『BELOVED』と並ぶ特に好きなアルバムで、いまでも私のなかでは「ＧＬＡＹと言えばこれ」という一作だ。そのタイトルにもなっている「pure soul」という曲に、こんな歌詞がある。

避けられぬ命題を今　背負って　迷って　もがいて　真夜中　出口を探している　手探りで

お気に入りの曲なので、子どものころもいまも音を外しながら（音痴なのです）ことあるごとに口ずさんでいるのだが、しかしGLAYファンを停止していた時期に言語哲学なんてものを学んでしまったせいで、私の心のなかの哲学者が「命題」という言葉に反応してしまうのだ。「命題、すなわち文の意味であり、形式的には可能世界の集合として定義できる」とか、「『命題を背負う』、すなわちそれは『信じる』、『欲する』、『意図する』などのような命題的態度と考えられ……」などなど、と。

はっきり言って邪魔で、心のなかの哲学者には「いまいいところだから静かにしてて！」と言いたくなる。でも、「意味」とか「言葉」くらいの日常的に見かける表現ならともかく、「命題」などという凝った言葉になると、あまりに哲学哲学しすぎていて、意気揚々と語りかけてくる心のなかの哲学者に、ただGLAYの曲に集中したいだけの私は競り負けてしまうのである。そうするともう、ずるずると心のなかの哲学者に引きずられてしまって、ちょっとあとの「賽を振る時は訪れ　人生の岐路に佇む」という歌詞も、ついつい「ふむ、複数の可能世界がまだ文脈に残されているのだな」と頭の隅で考えながら聴いてしまったりする。

ひょっとしたら、これは単に私だけに起こる現象ではなく、もともと言葉のなかにはそういう働きをするものがあるのかもしれない。「命題」は変わった言葉だ。授業中などに頻繁に命題について語る私も、例えば買い物中の会話や弟とゲームについて語り合うLINEでこの言葉を使うことはまずない。率直に言って、哲学以外の話題で「命題」という表現を用いることは、少なくとも私の場合は基本的にないように思う。そうすると、「命題」という言葉を聞くだけで、私にはそれが用いられる特有の哲学的文脈がどうしようもなく想起されることになる。

こんなふうにして、ある種の言葉はそれを受け取ったひとのなかで文脈を書き換えてしまう効果を持つのではないか。たいていの場合、会話にはまず文脈があって、言葉の意味はその文脈に照らして理解される。文脈が先で言葉はあとだ。漫画『ＯＮＥ ＰＩＥＣＥ』の話をしているときに「信念」という言葉が出てきたら、「海賊旗に象徴されるような、そのひとが強く抱く価値観や想いのことだな」と理解できるが、哲学の議論のなかで「信念」と言われたら『○○が××を信じている』と記述されるような心の状態のことか」と理解できる。まず文脈があって、そこに言葉がやってくる。だが、「信念」のように日常的にも使われる言葉と、そもそも普段はあまり使われない「命題」のような言葉は、このあたりの事情が違うのだろう。私は「命題」という言葉を哲学の話をするときくらいにしか使わないから、「命題」と聞くとどうしようもなく哲学の文脈を想起させられる。この場合には、言葉がまずあって、それに合わせて（私が思い浮かべる）文脈がやってくるのだ。

もちろん、この場合の文脈というのは、必ずしも言葉を発した当人と共有されているわけではない。たぶん「pure soul」の作詞をしたTAKUROは、まさか「命題」と書いて「命題的態度のこと?」と反応するオーディエンスがいるとは思っていなかっただろう。これはあくまで、私のなかだけで生じた文脈調整で、ただ私がその文脈に惑わされて歌詞を変なふうに解釈してしまうというだけの話にすぎない。それでも、受け取ったひとに特定の文脈を想起させ、その後の解釈を惑わせてしまうような言葉があるのだとすると興味深いし、またそれを意図的に狙ってうまく利用すればさまざまな、ときには有害なことも企めそうだ。

私が思い浮かべているのは、いわゆる「犬笛」である。もともと「犬笛」とは人間の可聴域を超えているが犬には聞こえる音を発するホイッスルのことで、犬に合図を出すのに用いられたりする。これが転じて、特定の集団にしか聞き取れないメッセージを持つ言葉が「犬笛」と呼ばれるようになった。その集団に属していないひとには意味をなさないか、当たり障りないものだと認識される点もポイントだ。例えばBlack Lives Matterの運動が大きく報じられるようになったなかで、All Lives Matterというスローガンを掲げるひとたちがいた。これは文字通り読むならば「すべての命は大切だ」ということであり、たぶん多くのひとが「まあ、そうだよね」と思うだろう。しかし同時にこの言葉は、人種差別主義者の人々にとっては「すべての命が大切なはずなのに黒人ばかりわがままを言っている」という印象を生じさせたり、ひいてはＢＬＭ運動に反対する言動を引き起こしたりする働きをしていたと考えられる。このとき、「All Lives Matter」という言葉は人種差別主義者にしか聞こえない音を発する犬笛となっている。

言語哲学者のジェニファー・ソール（Jennifer Saul）は、犬笛を言語哲学的に分析した「犬笛、政治操作、言語哲学」という論文で知られる。この論文は、慶應義塾大学出版会から二〇二一年に出版された『言葉はいかに人を欺くか』（小野純一訳）に収録されている。そのなかでは、例えば犬笛（ソールが「隠れた犬笛」と呼ぶもの）はターゲットとなっている受け手に新しい情報をもたらしたり、新しい態度を形成させたりするというより、すでに受け手が持っている態度を行為と結びつける効果を持っているという議論が紹介されている。「All Lives Matter」を受け取ったひとはそれによって初めて人種差別的な態度を形成したり、それを解読した結果「ＢＬＭに反対すべし」という伝達内容を受け取ったりしているわけではなく、すでに人種差別的な態度を持っていた場合にはその後の行動が人種差別的になる、というのだ。またソールは、ある言葉がこうした犬笛の効果をもたらすものであったとしても、それが犬笛になっているという事実を受け手に知らせることで、問題の効果を取り消すことができるという実験結果も紹介している。

ソールは言語行為論の枠組みのなかで自身の議論を展開する。ジョン・L・オースティンに始まる言語行為論においては、ひとが発話をおこなうときになされる行為を発語行為、発語内行為、発語媒介行為に分けている。ざっくりと説明すると、まさにその言葉を発するという行為そのものが発語行為で、発語行為をおこなうなかで話し手自身によりなされる行為が発語内行為、それが聞き手やそのほかのひとに与える影響という観点から記述される話し手の行為が発語媒介行為と言われる。例えば私が「ソールは優れた哲学者だ」と言うとすると、私はまさにこの日本語文を発するという発語行為をしているわけだが、もちろんそれだけではなく、私はそれによって主張という発語内行為もおこなっている。そしてまた、私がこの主張によって聞き手を納得させ、「そうか、ソールは優れた哲学者なんだな」と思わせられたとしたら、私は説得という発語媒介行為にも成功していることになる。

ソールは、発語媒介行為にはそれをしようと話し手が意図していることが聞き手にバレると効果を失うものがある、と指摘する。例えば受け手を騙すというのは発語媒介行為の一種だが、「話し手は私を騙そうとしているのだな」と受け手に気づかれてしまうと、もはや騙すことは難しくなる。ソールによれば、犬笛もこうした特殊な発語媒介行為の一種だとされている。具体的には、犬笛とは受け手の態度と行為を連動させる効果を意図してなされる発語媒介行為だが、ただしその意図が聞き手に気づかれるとこの効果は発動しなくなる、というふうに考えるのである。

ただ、それはその通りかもしれないが、そもそも犬笛によってなぜ受け手の態度と行為が連動するようになるかというのは、これだけではよくわからない。というより、この論文のなかでソールはその点を特に説明しようとはしていないように思える。けれど、犬笛の肝はまさにその点にあるのではないだろうか？

思うに、「命題」と聞くと私やたぶんほかの哲学者たちがどうしようもなく哲学の文脈を想起し、心のうちなる哲学者を目覚めさせてしまうように、犬笛もまた、特定の文脈での会話に習熟している人々にその文脈を想起させ、心のうちなる誰かを目覚めさせてしまう言葉になっているのではないだろうか？ 「All Lives Matter」に含まれる三つの単語はありきたりなものだが、わざわざこれを並べてスローガンとして語る機会はたぶんそんなに多くない。そうすると、「黒人はわがままだ」という趣旨でこの発言がなされるような文脈に慣れているひとは、この言葉を聞くと自然と心のうちなる人種差別主義者が顔を覗かせ、そうした文脈を想起し、その後の言動に影響が出てしまう、といったメカニズムがあるのではないかと想像するのだ。

似たような事例はいろいろとある。例えばドナルド・トランプは何度か「大統領に再選したら男性が女子スポーツに参加できないようにする」と発言している。額面通りに見ると意味がわからず、むしろ当たり前のことしか言っていない発言に見える。「男性はそもそも女子スポーツには参加できないのでは？」と思ってしまう。実のところこれは、近年のレギュレーションの調整などを経て女子スポーツに出場できるようになった少数のトランスジェンダーの女子選手を保守的な人々が中傷する文脈で、繰り返し「男が女子スポーツを荒らしている」という趣旨の発言がなされている背景に照らして初めてその作用が理解できる発言となっている。「痴漢冤罪」とかもそうかもしれない。それだけ聞くと「そりゃ、冤罪はないほうがいいよね」と思ってしまうが、それが使われてきた特定の文脈があって、それに慣れ親しんでいるひとはその言葉を聞くとその文脈を想起してしまう。

もちろん、一部の言葉が持つ文脈喚起能力は、必ずしも常にこうした恐ろしい仕方で利用されるわけではない。パロディのために元ネタを知っているひとにだけ特定の文脈を想起させるような言葉を意図的に用いる、などは楽しい使いかたの一例になるだろう。

ＧＬＡＹの話に戻ると、「誘惑」という曲の歌詞には「ＺＥＲＯを手にしたオマエは強く」という一節がある。だからＧＬＡＹについてよく話す私とある友人のあいだでは、例えば買い物の金額にゼロが並んでいるときに私が「ゼロを手にしたよ」などと言ったら、友人は即座にＧＬＡＹ文脈を想起し、「お、強くなるね」と返したりしてくれる。一部の言葉が持つ文脈喚起の力は、その言葉を使う人々が積み重ねてきた歴史の反映だ。特定のマイノリティを攻撃するようなやり取りの歴史が表れる言葉には恐ろしさを感じる。だけれど、ほかのひとにはほとんど伝わらない冗談を言い合えるようになるまでの私と友人とのやり取りの歴史や、それが表れた言葉については、私はとても愛おしく思う。

一緒に生きていくために

（同性愛者やトランスジェンダーに対して攻撃的で差別的な発言への言及があります。もし負担に感じられたら読むのを中断するなど、注意してご覧ください）

「理解」って何だろう？　そんなことを考えてしまうのは、いわゆるＬＧＢＴ理解増進法案がこのところずっと話題になっているからだ。

「性的指向及び性自認の多様性に関する国民の理解の増進に関する法律案」という名称を持つこの法案は、もともとは二〇二一年の春にいちど話題になったものだ。私の周囲の性的マイノリティたちは、この法案に差別禁止の規定がなく、さも差別撤廃に取り組んでいるかのような様子だけ繕ったような内容になっているという点で、ネガティブな反応を見せているひとが多かったように思う。けれど結局のところそんな表面的な法案でさえ自民党内で反対意見が続出し、国会に提出さえされなかったというので、やけに惨めな気持ちにさせられたものだった。

そんな法案が、二〇二三年二月、荒井勝喜総理大臣秘書官（当時）が同性婚に関連して「見るのも嫌だ。隣に住んでいたら嫌だ。人権や価値観は尊重するが、認めたら、国を捨てる人が出てくる」などと強烈にホモフォビックな発言をして問題視されたことをきっかけに、再び話題にされるようになった。

この法案の是非や具体的な中身はともかくとして、どうにも気になるのは「理解」という言葉だ。「理解する」とはいったい何を指すのだろう？　すぐに思いつくのは、「物事の仕組みやありかたについて、それを知らない状態から知っている状態に変わる」といったような事柄だろう。「理解する」がそういうことだとしたら、「理解している」はそうした知識をすでに持っている状態を指すと考えられる。こんなふうに捉えたなら、性的マイノリティへの理解を持つというのは、要するに性的マイノリティの経験や状況に関しての知識を獲得することとなりそうだ。

知識を得るには何らかの情報源が必要だが、マイノリティの置かれている状況についてはそのマイノリティ集団に属す人々以上に豊かな情報源はない。そうすると、マイノリティへの理解のためにはマイノリティ当事者自身の情報発信が不可欠だ、ということになるだろう。

ここでは、知識とコミュニケーションに関して特定の見方が前提とされている。Aさんが何かを説明することによって、それについてもともとは知識を持っていなかったBさんが知識を獲得し、Aさんについて理解するようになるというように、コミュニケーションを知識の受け渡しの場と見なすコミュニケーション観が想定されているように感じられるのだ。

これは、前著の「ブラックホールと扉」の章で紹介したコード・モデルや推論モデルに基づく見方だと言える。「コード・モデル」と「推論モデル」はダン・スペルベル（Dan Sperber）とディアドリ・ウィルソン（Deirdre Wilson）の『関連性理論——伝達と認知（第二版）』（内田聖二・宋南先・中逵俊明・田中圭子訳、研究社、一九九九年）で用いられている概念だ。コミュニケーションとは、話し手が伝達したいメッセージをそれに対応した暗号（コード）へと置き換えて聞き手に送り、聞き手が暗号（コード）を解読してメッセージを復元するという流れでおこなわれるものである、というのがコード・モデルの見方だ。これに対し推論モデルでは、話し手は聞き手に自分の意図するメッセージの手掛かりになるような言動をしてみせ、聞き手はその言動の背後にある話し手の意図を推測することでメッセージを受け取るとされる。これらは異なるモデルではあるが、いずれも話し手が持っている情報を聞き手が受け取るという点にコミュニケーションの核を見出している。

よく「理解してもらうためには対話が重要だ」などと言われるが、そのときに想定されているコミュニケーション観も、たいていの場合はこうしたものではないだろうか？　コミュニケーションは話し手から聞き手に情報を送る行為で、それがきちんとなされれば聞き手に新しい情報が加わるのだから、根気強い対話によって聞き手の理解は増すはずであり、話し手はそれを実現すべくきちんと対話を試みるべきだ、と。さらには、こうしたやり取りをいろいろなひとに試みることで少しずつ理解が広まっていくのだ、とも。場合によっては、理解が得られないのは話し手側がきちんと対話をしていないからだと言われたりもする。

けれど、そのように理解を得るというのは本当にいつでも必要なことなのだろうか？　そのための対話というのを本当にいつでもしないとならないのだろうか？　そんなふうに思ってしまうのだ。

こうした考え方はもとからいくらか私のなかにあったとはいえ、それがはっきりと強くなったのはある出来事がきっかけだった。思い出すのも嫌な話だけれど、二〇二二年の秋に、私は少しばかり規模の大きいオンラインハラスメントの被害を受けたのだった。

Twitter（現X）でこんな発言をしたのが始まりだ。

前に婦人科に問い合わせたら（戸籍変更済みであることも伝えて）「あなたみたいなひとには来てほしくない」と言われ、仕方なく少し離れた別のところに行ったら「薬は仕方ないから出すけど健康については診たくないからチェックしないし、薬の量も自分で決めて」と言われてから、すっかり病院が苦手に。

背景を説明すると、私の体は現在、テストステロン（いわゆる「男性ホルモン」）もエストロゲン（いわゆる「女性ホルモン」）も産出できない状態にある。なので、定期的にホルモン補充療法を受けないと、体からホルモンが枯渇した状態になって体調を崩すことになる。具体的には、震えるような寒気がしたり、顔がほてったり、めまいがしたり、といった症状が出る。さらに医師によれば、ホルモンを補充しないで過ごすと骨粗鬆症のリスクが高まったりもするらしい。ホルモン補充療法を中心的におこなっているのは婦人科なので、この一〇年くらいは婦人科に通って治療を受けながら暮らしている。

実のところ、必要なのはシスジェンダーの女性が更年期障害になったときにおこなわれるのと同じ治療と診察だけで、特に変わった対応が必要になるわけではなく、実際私が処方されている薬も普通にシスジェンダーの女性が使っているものだ。診察もたいていは五分もかからない。診療所によってはほかの患者たちの診察のあいだの隙間時間でぱぱっと済ませられるくらいあっという間に終わる診察なのだ。しかも私は戸籍上も女性なので、以前に通っていたところでは私がトランスジェンダーであることを医師がうっかり忘れてしまったらしく、シスジェンダーのひとを想定した質問をされるようになったこともある。そうなるともう、ただの更年期障害の治療である。

けれど、あらかじめ電話などでトランスジェンダーであると告げると、診療を断られることがわりとある。私は自分の体の状態をきちんとわかったうえで診てほしいので、引っ越しなどで新しい診療所に行くときには事前に自分の体のこと、戸籍のことなども説明し、治療を受けられるか確認を取るようにしているのだが、そうするとトランスジェンダーであることを理由に「来ないでほしい」と言われることがあるのだ。「医師法に違反しているのでは？」とも思うのだが、こちらとしてもそんな診療所に行くのは怖いので、諦めて別のところを探すようにしている。場合によっては住んでいる地域の役所のダイバーシティ部門に問い合わせ、受け入れてくれる診療所を訊くこともある（ただし、地域によってはまったく対応してもらえない場合もある）。

そんなふうにしてやっと診療所を見つけたと思ったら、薬は出してもらえるものの健康状態のチェックは拒否され、ホルモン治療についても量や頻度を自分の責任で決めるように言われて、相談にさえ乗ってくれないということも、一度だがあった。何も責任は持たないし健康状態にも注意は払わないけれど言われるがままに薬は出すという診療所なんて、薬を出してくれない診療所より恐ろしく感じられ、そこには行かなくなってしまった。

正直なところ、医療の場でのこうした扱いに私は慣れている。たぶん多くのトランスの人々にとって診療拒否はよくあることだと思う。とはいえ、たまには愚痴りたくなることもある。トランスジェンダーであるというだけでこうした不利益を被ると知ってもらいたかったこともあって、先述のツイートをしたのだった。

しかしこれが、思いがけず「炎上」した。トランスジェンダーを受け入れない診療所への批判ではない。私が診療を受けようとすることにたくさんの非難が向けられたのだ。あるひとはわざわざ私のツイートのスクリーンショットを撮って、私の顔も名前もわかるようにしながら、「性器を整形しただけの男性」「婦人科の先生に男性の体を見せたがるなんてそれ自体がハラスメントだ」と言った。それを見た人々のなかには「露出狂のくせにトランスを名乗れば無罪になる」と言うひともいたし、とにかく似たような発言が並んだ。ちなみにそのスクリーンショット付きのツイートには、私が確認した時点で三〇〇件以上のリツイートと八〇〇件以上の「いいね」がついた。きっと八〇〇人以上のひとが、私が健康維持のために必要な診療を受けることそのものがハラスメントであり性加害であると捉えたのだろう。

私が自分の状態を「更年期障害」という言葉を使って説明したところ、「ホルモン治療なんてするから不調になるだけで、それを勘違いして更年期障害だと言い張って婦人科に入り込もうとしている」と言い出すひともいた。ちなみに私の体の状態を「更年期障害」に当たるものと教えてくれたのは専門の医師であって、私自身の思い付きではない。だいいち、私はホルモン過多の症状も経験しているが、そちらは気持ちが不安定になったり涙が出たりといったもので、ホルモン欠乏とは症状が異なる。何にせよ私はかなり医師と相談しながら物事を決めてきたほうなので、会ったこともない誰かよりは自分自身の体や健康状態については正確な知識を持っているはずだ。けれどそんなことを訴えても聞き入れてもらえることはなく、しばらく同じような攻撃を受け続けることになった。

トランスジェンダーが医療を受けるのが「ハラスメント」であるとか「露出狂」であるというのがピンと来ないひともいるだろうが、実はこれはトランスジェンダーの女性への差別的発言としてかなりよく見られるもので、二〇二一年の時点でBuzzFeedの記事にもなっている（https://www.buzzfeed.com/jp/mametaendo/transgender-gynecology）。「男性が自分は女性だと言い張って婦人科の医師や看護師に性器を露出しようとしている」というのがその基本的な発想だ。私としては単に健康を維持して日常生活を続けたいだけなのだが、トランスジェンダーであるというだけでこんなふうに性的なモンスターのように語られるのである。要するに私は、そうした性的で不気味な偏見をいきなり見知らぬ人々からぶつけられ、そのような偏見とともに自分の写真や名前も入っている画像を拡散されたわけで、このことを思い出すといまでも恐怖とショックで鼓動が早まって、息が苦しくなり、泣きそうになる。

なぜこんな読むのも辛い話をしたかというと、「理解」という言葉への複雑な気持ちを語りたかったからだ。私はオンラインハラスメントのターゲットになったあと、私のことを知っているひとには事情を伝えたいのもあって、自分の体の状態や医療の必要性などを少しばかり説明した。ただ、明確に私を攻撃しているひとには直接的には何も言わなかった。私が「理解」という言葉に引っ掛かっているのは、「私はこのひとたちとも対話を重ねて理解してもらおうとしなければならなかったのだろうか？」と思うからだ。

冷静に考えてみてほしい。病院や診療所というのは世の中の大半のひとにとって健康上の理由で行く場所だ。だから誰かが病院や診療所に行ったと聞いたら、普通は「具合が悪いのかな？」「怪我をしたのかな？」「持病でもあるのかな？」などと考えるだろう。そうした共通理解があるからこそ、私たちは病院や診療所についてスムーズに会話を重ねることができる。でも、私が病院や診療所に行くと聞いて、その共通理解を一切度外視して

「医師にセクハラするために行くに違いない」と決めつけるひとたちと、いったいどうしたら会話ができるのだろう？

率直に言って、私には自分が負う心理的ダメージを我慢してまでこうした相手と会話をする理由があるとは、まったく感じられなかった。これほどまでに悪意を持って私の言動を解釈するひとに、いったい何を言えば悪意や偏見抜きに受け取ってもらえるというのだろう？　そんな相手に私のことを「理解」してもらおうとする必要があるのだろうか？　私はそうしたひとたちともコミュニケーションをおこない、知識を伝達しようとすべきだったのだろうか？　そもそもそんなコミュニケーションが成功する見込みなどあるのだろうか？

ひょっとしたら、そもそも必要なのは知識の受け渡しではなく、何か別のことなのではないだろうかと思うことがある。

先日、久しぶりに実家に泊まり、母といろいろな話をする機会があった。母は、私から頼まれたわけでもないのに、知り合いがトランスジェンダーに関する誤った知識を持たないよう、機会を見ては誤情報の訂正などをしているらしい。また、母から聞いたことだが、私の祖母もトランスフォビックな発言をする知人に猛然と反論したりしていたという。

母や祖母が私とコミュニケーションを重ねてきたことは事実だが、私が持っている知識を正確にきちんと受け渡せているかというと、そこまで私は確信を持っていない。私が使う言葉や概念を私とは違ったかたちで捉えているかもしれないし、私が自分の経験したことについてうまく語れない場合もあったりする。でも、ある意味でふたりは私のことを、トランスジェンダーのことを、「理解」している、「理解」しようとしてくれているのではないかとも思うのだ。

このふたりだけではない。父や弟、パートナー、友人たち、何人かの同僚たち、担当編集たちなど、私が親しく交流する人々は大なり小なり、私がトランスジェンダーであるということを何らかのかたちで受け止め、それをきっかけに普段の振る舞いかたを変えてくれているように思う。例えば関連する本や映画を積極的に鑑賞するとか、プロフィールに自分の代名詞を記載するとか(トランスジェンダーの人々はよく好ましくない代名詞で呼ばれることを避けるために自分が望む代名詞をプロフィールに記載しているのだが、好ましくない代名詞で呼ばれる可能性の低いシスジェンダーの人々もそのサポートの意志を込めてそれらを記載することがあるのだ)。

確かに私は自分が女性として受けた不利益についてもトランスジェンダーとして受けた不利益についてもトランスジェンダー女性として受けた不利益についても、あちこちで説明をしようとしている。とはいえ、それで知識が増えるひとがいればもちろんそれに越したことはないが、それが主目的であるわけではないようにも感じている。私に限らず、マイノリティの立場に身を置くさまざまなひとたちがそうした説明を心がけるのは、知識そのものの伝達を望んでいるというよりは、その会話を通じて相手が私たちへの向き合い方や普段の行動の仕方を変えてくれることを望んでいるからなのではないだろうか?

たとえ知識や情報は大して増えず、「よくわからない」と感じていたとしても、それでも目の前の会話の相手と今後もスムーズに一緒に過ごせるように、言動を修正してくれるひとはいる。それで十分だし、それこそが必要なのではないか、と私は思う。別に知識の獲得という意味では理解なんてしてくれなくていいし、そして安易に理解できるなどとも思ってほしくない。ただ私とあなたで今後も一緒にやっていけるようにしてほしいだけなのだ、と。

実のところ、トランスジェンダーであるというだけで私たちのことを性犯罪者のように認識するひとがいたとしても、そのひとがそれを内心にとどめ、私たちの日常生活を妨げるような振る舞いをしないように行動を変えてくれたなら、個人的にはそのひとともそれなりに一緒にやっていけるように思う。それが法的に強制されたとか、周りの目が気になってとか、当人の意には反する行動変容であったとしてもだ。私が自分を攻撃してきた人々とコミュニケーションを取る気になれなかったのは、現状ではそうした行動変容が見込めなかったからなのかもしれない。

知識の伝達ももちろん大事なのだが、私たちにとって必要なコミュニケーションや対話は、人々にこうした行動の変容をしてもらい、この社会で一緒にやっていけるようにするためのものなのではないだろうか。そのコミュニケーションが具体的にどのようなものなのか、私にはまだわからない。わからないけれど、そこから考えていけたら、と思う。

この社会には、すでにいろいろなひとが一緒に生きている。でも、誰もがスムーズに暮らせているわけではない。だから、理解できなくてもいい、知識がなくてもいい、ただきちんと一緒にこの社会で生きていくためのコミュニケーションを始めることはできないだろうか、と私は思うのだ。

おわりに

前著『言葉の展望台』が出てから一年ちょっと経ち、今度はこの本が出ることになりました。『言葉の展望台』はもともと『群像』での連載をまとめたものでしたが、今回はその第一三回から第二四回までを収録し、さらにゆざきさかおみさんの『作りたい女と食べたい女』のレビューとして書いた文章を収録しています。

この間にいろいろなことが変わりました。まず前著のなかでトランスジェンダーとしてカムアウトして以来、のびのびと自分の過去のことやいま思っていることを語れるようになりました。以前は誰と話すときにも「まさか小学校時代に上半身裸で騎馬戦をさせられた思い出の話なんてできないしな」などといちいち話す内容を常にあらかじめ計算していたところがあるのですが、そうした努力をあまりしないですむようになりました。その結果というかなんというか、この本は前著以上に私のトランスジェンダーとしての側面があちこちに現れているかと思います。自分ではぜんぜんそんなつもりがなかったので、読み返していてびっくりしました。

他方で、哲学での関心は大きくは変わっていません。私はいまも言葉とコミュニケーションについて考え続けています。ただ、「コミュニケーションの核は情報の受け渡しではなく、参加者間の今後の振る舞いに関する『約束事』の擦り合わせにある」といったアイデアを、かなり明示的にあちこちで語れるようになりました。これはもともと二〇一九年に出した『話し手の意味の心理性と公共性』(勁草書房)という本で展開した議論で、そのころは込み入った議論とセットでしかうまく語れなかったのですが、最近はだんだんとスムーズにこのアイデア自体の話をできるようになってきているように思います。ただ、だからといっていろいろなことがわかるようになったわけではありません。私は相変わらずいろいろなひとの話を聞いたり読んだりしながら、「いまの発言は何だったのだろう?」と首をひねっています。

例えば最近はこんなことがありました。旅行先で遊覧船に乗っていると、ガイドさんが造船所のドックを指差しながら「あれは人間ドックならぬ『船ドック』で、船も検査が必要になるとああいうところに行くんですよ」といったような説明をしました。もちろん「船ドック」はいわゆるレトロニムというものです。「ミルク」がもともと液状のものを指していたのに「粉ミルク」が普及した結果として「液体ミルク」と呼ばれるようになったという例もありますが、古い言葉の意味が拡張した結果としてその言葉でもともと指していた対象を指すために言葉を付け足さなくてはならなくなったという現象が起きているわけです。それはいいのですが、以前は人間を船に喩えて「人間にとってのドック」として人間ドックを語っていたのが、いつの間にか船が人間に喩えられ、擬人化されるようになっていて、その二つの語りかたのあいだには単なる言葉の違い以上の世界観の違いのようなものがありそうだな、などと考えたりしました。これについては、まだ私も何が起きているのかよくわかっていないので、何か思いついたかたがいたらぜひお聞きしたいです。

そんなわけで、この本でも私はあちこちで首をひねっています。マーベルヒーローのよくあるやり取りについて、読んだばかりの小説について、とある裁判の判決要旨について、家族との大事な会話について。あるところでは自分なりに答えを出そうとしていますし、あるところでは結局よくわからないままになっています。

前著の「おわりに」では、個人的なことと抽象的なことをどのように織り交ぜるのか苦労したという話もしていました。いまもそれはあるのですが、それよりもむしろ個人的なことと抽象的なことをどう切り分けたらいいのかと戸惑うことのほうが増えているかもしれません。

エッセイを書く以上は、基本的には個人的な日々の出来事が出発点になります。「こんなことがあった」、「こんなものを見た」、「こんなひととしゃべった」……など。そうした個人的な出来事のなかで、何かしら頭に残ったものを取り出して、「何が引っかかったんだろう?」と考えていき、その引っかかったポイントを哲学の道具を使いながら語る。これが私の基本的な方針になっています。

でも、引っかかった理由なんてさまざまにあるものです。単純に面白い言葉づかいが含まれていたということもあるかもしれません。でも私が女性だからこそ気になったというものもあるでしょう。トランスジェンダーだからこそ忘れられなかった出来事もあるでしょう。そしてそういった全部が、私というひとりの人間のなかにごちゃ混ぜに蓄積されていっているわけで、慎重に見ないと自分ではどれが何に引っかかっているのかさっぱりわからないことがあります。そのうえでそれを哲学的に語ろうというのだから、それはもうぐちゃぐちゃにしまっていた毛糸玉のようなこんがらがり具合です。

けれど、読み返していて、それが私なんだなとも思います。私はそんなに整理がついていないごちゃごちゃした人間で、いろんな面を持っていて、それがあっちで絡まりこっちで絡まりしていて、でもそんなままどうにかこうにか暮らしているのだろう、と。だから、それがそのままぽんと置かれたようなこの本を、私自身はそれなりに愛おしく感じています。

読んでくださったかたは、どのように感じているのでしょう？　私の見るもの、語ることに親近感を持ってくれるひともいるかもしれない。ぜんぜんわからないと思うひともいるかもしれない。「こんなひともいるのか」と驚くひともいれば、「こんなふうになってはいけない」と肝に銘じるひともいるかもしれません。いろいろな感じかたをしてくれるといいなと思います。いろいろな感じかたをして、そしてそのひとにとってしっくりくる仕方で、この本から何かを持って帰ってもらえたら、それは私にとってはとても幸せなことです。

最後に、きっといるであろうクィアな読者の方々へ。この文章を書いているときにも、とても辛いことがたくさん続いています。社会全体でもそうですし、それぞれのプライベートな場面においてもそうしたことはきっとたくさんあるかと思います。前著を出したあと、クィアな人々のグループが読書会に呼んでくれたり、「本、読みました」とクィアな若者が声をかけたりしてくれたことがあって、そんなとき、私は自分やそのひとたちがそれまでどうにか生き抜いてきたこと、そしていまそうしたひとたちと出会い、おしゃべりをできていることに泣きそうになってしまいました。だからこれは私のわがままなのですが、もしよかったら、どうか諦めず生きていき、そしてどこかで会う機会があれば、声をかけたりしていただけたら、と思っています。とはいえ私はひどい人見知りなので、きっとどぎまぎしてしどろもどろになってしまうでしょうけれど。

前著と同様に、本書でもたくさんの学術書や学術論文を参照しているので、最後にリストにしておきます。実際に読んでみると私の紹介を通して思う以上に楽しいものも多いかと思うので、気が向いたらぜひ手に取ってみてください。

Ahmed, Sara (2006) *Queer Phenomenology*, Duke University Press, Durham.

Bach, Kent & Harnish, Robert M. (1979) *Linguistic Communication and Speech Acts*, The MIT Press, Cambridge.

Barwise, Jon & Perry, John (1983/1999) *Situations and Attitudes*, CSLI Publications, Stanford.（土屋俊・鈴木浩之・白井英俊・片桐恭弘・向井国昭訳『状況と態度』産業図書、一九九二年）

Cavell, Stanley (1969/2005) *Must We Mean What We Say?: A Book of Essays*, Cambridge University Press, Cambridge.

Chirrey, Deborah A. (2003) "'I Hereby Come Out': What Sort of Speech Act Is Coming

"Out?", *Journal of Sociolinguistics*, 7(1): 24-37.
Grice, Paul (1991) *The Conception of Value*, Clarendon Press, Oxford.（本書のうち"Metaphysics and Value"は岡部勉訳「形而上学と価値」として『理性と価値――後期グライス形而上学論集』〔勁草書房、二〇一三年〕所収、二四九―二七五頁）
――(2001) *Aspects of Reason*, Clarendon Press, Oxford.（岡部勉訳「理性の諸相」、『理性と価値――後期グライス形而上学論集〔勁草書房、二〇一三年〕所収、三―一八八頁）
Lakoff, George & Johnson, Mark (1980) *Metaphors We Live By*, University of Chicago Press, Chicago,（渡部昇一・楠瀬淳三・下谷和幸訳『レトリックと人生』大修館書店、一九八六年）
Lewis, David (1979) "Scorekeeping in a Language Game", *Journal of Philosophical Logic*, 8(1): 339-359. Reprinted in D. Lewis (1983) *Philosophical Papers* [Vol. 1], Oxford University Press, Oxford: 233-249.
Saul, Jennifer (2018) "Dogwhistles, Political Manipulation, and Philosophy of Language", in D. Forgal, D. W. Harris & M. Moss (eds) *New Work on Speech Acts*, Oxford University Press, Oxford: 360-383.（小野純一訳「犬笛、政治操作、言語哲学」、『言葉

はいかに人を欺くか』〔慶應義塾大学出版会、二〇二一年〕所収、二一七―二五六頁）
Sperber, Dan & Wilson, Deirdre（1986/1995）*Relevance: Communication and Cognition* [2nd Ed.], Blackwell Publishing, Oxford.（内田聖二・宋南先・中逵俊明・田中圭子訳『関連性理論――伝達と認知（第二版）』研究社、一九九九年）
Strawson, Peter F.（1950）"On Referring", *Mind*, 59(235): 320-344.（藤村龍雄訳「指示について」、『現代哲学基本論文集II』〔坂本百大編、勁草書房、一九八七年〕所収、二〇三―二五一頁）
Wittgenstein, Ludwig（1953/2009）*Philosophical Investigations* [4th Ed.]（translated by G. E. M. Anscombe, P. M. S. Hacker & J. Schulte), Wiley-Blackwell, Oxford.（鬼界彰夫訳『哲学探究』講談社、二〇二〇年）
江原由美子（二〇二一）『増補　女性解放という思想』ちくま学芸文庫
高島鈴（二〇二二）『布団の中から蜂起せよ――アナーカ・フェミニズムのための断章』人文書院

二〇二三年八月

三木那由他

初出
「安全な場所──『作りたい女と食べたい女』」『群像』二〇二三年四月号
右記以外は、同誌連載「言葉の展望台」二〇二二年五月号～二〇二三年六月号
書籍化にあたり改題しました。
Nex Tone 許諾番号 PB000054285 号

三木 那由他（みき・なゆた） 1985年、神奈川県生まれ。2013年、京都大学大学院文学研究科博士課程指導認定退学。2015年、博士（文学）。現在、大阪大学大学院人文学研究科講師。著書に『話し手の意味の心理性と公共性』（勁草書房、2019年）、『グライス　理性の哲学――コミュニケーションから形而上学まで』（勁草書房、2022年）、『言葉の展望台』（講談社、2022年）、『会話を哲学する』（光文社新書、2022年）、共著書に『シリーズ　新・心の哲学Ⅰ　認知篇』（勁草書房、2014年）、共訳書にロバート・ブランダム『プラグマティズムはどこから来て、どこへ行くのか』（上下巻、勁草書房、2020年）がある。

言葉(ことば)の風景(ふうけい)、哲学(てつがく)のレンズ

二〇二三年一一月七日　第一刷発行

著者　三木那由他(みきなゆた)
発行者　髙橋明男
発行所　株式会社講談社
〒一一二-八〇〇一　東京都文京区音羽二-一二-二一
電話　出版　〇三-五三九五-三五〇四
販売　〇三-五三九五-五八一七
業務　〇三-五三九五-三六一五

印刷所　TOPPAN株式会社
製本所　株式会社国宝社

ISBN978-4-06-533680-9